Mi hijo

no estudia, no ayuda, no obedece

25 reglas para solucionarlo
y 7 cuestiones para pensar

J. Amador Delgado Montoto

Mi hijo

no estudia, no ayuda,

25 reglas para solucionarlo
y 7 cuestiones para pensar **no obedece**

EDICIONES PIRÁMIDE

COLECCIÓN «GUÍAS PARA PADRES Y MADRES»

Director:
Francisco Xavier Méndez
Catedrático de Tratamiento Psicológico Infantil
de la Universidad de Murcia

Diseño de cubierta e ilustraciones: Gerardo Domínguez

© J. Amador Delgado Montoto
© Ediciones Pirámide (Grupo Anaya, S. A.), 2015
Juan Ignacio Luca de Tena, 15. 28027 Madrid
Teléfono: 91 393 89 89
www.edicionespiramide.es
Depósito legal: M. 8.004-2015
ISBN: 978-84-368-3351-5
Printed in Spain

Índice

© Ediciones Pirámide

Introducción: ¡Y ahora el instituto!

A lo largo de 25 años de profesión he escuchado la frase «mi hijo no quiere estudiar» tantas veces que si la escribiera podría llenar libretas enteras.

La entrada en el instituto coincide con el inicio de la adolescencia. Al cambio físico se va a sumar el cambio de etapa educativa y con ello aparecerán nuevos retos a los que tendrán que dar respuesta padres y educadores.

La tranquilidad y sumisión de los años anteriores darán paso, de forma súbita, a conductas como rebelarse contra la autoridad, necesidad de independencia, preocupación por la imagen corporal, cambios repentinos de humor, vergüenza o pudor ante algunos comentarios, incumplimiento de normas y otras similares.

Los padres, desconcertados ante la nueva situación, tendrán que dar lo mejor de sí mismos si desean salir airosos. Los hijos, por su parte, tendrán que hacer frente a inciertos retos para los que no les han preparado.

Los problemas suelen comenzar con la entrada del adolescente en el nuevo espacio escolar. Los chicos pasan de ser cabeza de ratón a cola de gato: antes eran los mayores en el colegio de primaria y ahora serán los benjamines del nuevo espacio. Un cambio brusco al que tendrán que adaptarse, pero que no es el único.

Nuevos horarios

En el instituto se amplía el horario de asistencia a clase. Ahora tendrán una hora más, con lo cual deben levantarse antes y llegar más tarde a comer. Es cierto que algunos chicos se levantan con ganas de empezar el día, pero lo habitual es encontrarse con caras somnolientas y bostezos al comienzo de la jornada.

No es casual que los profesores prefieran las primeras horas para ejercer la docencia: los alumnos están más tranquilos y apenas hay conflictos.

Fatigados, después de seis horas de clase, los chicos llegan con un hambre voraz a casa. En nuestra cultura la comida más fuerte del día se hace después del trabajo, justo cuando ha concluido su agotadora mañana el adolescente. Desde el punto de vista energético, no parece lo más sensato.

Por la tarde, con renovados hidratos de carbono, los chicos suelen asistir a actividades de lo más diverso; en muchas ocasiones estas "clases paralelas" no responden a los intereses del muchacho, y sí a los gustos y preferencias de sus padres. Y si no, los múltiples deberes ocuparán buena parte del tiempo.

Se supone que con tanta actividad por la noche caerán rendidos en la cama, pero no suele ser así. En la adolescencia se produce un **cambio en los ritmos del sueño,** especialmente en los chicos. Ahora se acuestan más tarde y se despiertan también más tarde.

Muchos adolescentes admiten que son incapaces de conciliar el sueño hasta la una o dos de la madrugada. Con este panorama, es razonable pensar que las primeras horas del día las pasen desperezándose.

Más profesores

En la educación primaria los chicos tenían un maestro de referencia. En el instituto cada hora cambia el profesor y por lo tanto la materia. Un profesor puede dar clase a varios grupos; con la ampliación del horario lectivo del profesorado, no es infrecuente que un docente dé clase a cinco o seis grupos de alumnos.

Si cada aula está compuesta por 30 alumnos, un profesor en una semana puede dar clase a unos 150/180 chicos. Inviable que pueda tener un conocimiento personal de cada alumno, al contrario de lo que sucedía en la etapa educativa anterior.

La consecuencia inmediata es que el chico va a buscar los referentes en sus compañeros. **Al limitarse el contacto personal, se produce una brecha con el adulto-profesor.** Para paliar esta carencia surge la figura del tutor, una especie de puente entre la familia y el resto de profesores del centro.

Cuando surge algún problema en el aula, el docente que no tiene tiempo ni recursos para una solución pacífica y razonable opta por acogerse a las normas establecidas. El adolescente indignado comienza a aborrecer los métodos de sus profesores y se inicia el distanciamiento.

MÁS MATERIAS

Cada hora un nuevo profesor y una nueva materia de estudio. Pasamos del sintagma nominal a la eclosión del imperio romano; antes del recreo la metamorfosis de la mariposa, más tarde los números enteros y la clase de educación física y para acabar la mañana audición de inglés.

Las materias escolares están desconexionadas entre sí, el batiburrillo de conceptos se dispara a lo largo de los días, las semanas y los meses del curso escolar. El instituto pasa a ser como una torre de Babel donde cada hora se habla un idioma distinto.

La educación financiera, el trabajo en grupo, la empatía, la participación democrática, las habilidades sociales, el uso de las nuevas tecnologías, la asertividad, las relaciones personales y tantas otras apenas tienen cabida en el currículum oficial. No es de extrañar que el adolescente se encuentre desnortado y falto de motivación en la mayoría de los casos.

NUEVAS NORMAS

Los hijos, por norma general, desean agradar a sus padres. Durante la niñez se busca la atención y el afecto de los padres hasta el agotamiento; por eso seguir las reglas establecidas resulta una buena manera de conseguir el aprecio paternal y maternal.

Sin embargo, esto da un vuelco en la etapa adolescente. Los padres dejan de ser infalibles; el chico pondrá en cuestión casi cualquier decisión que tomen sus progenitores: necesita autoafirmarse y comienza a ponerlo en práctica con los sufridos padres.

Los chicos llevan mal las nuevas normas impuestas en el instituto. No entienden por qué tienen que estar sentados todo el rato, por qué no pueden hablar entre sí o por qué no se puede llevar el móvil a clase. La autoridad se pone en entredicho, y los profesores pasan a ser vistos como agentes externos encargados de someterlos. Puede que algo de razón no les falte.

Como no aceptan las reglas, muchos chicos optan por rebelarse de múltiples formas: molestando en el aula, interrumpiendo la clase, parando deliberadamente las explicaciones, negándose a cumplir órdenes al primer mandato, increpando a los compañeros, etc. Cuando algo de esto sucede, los profesores llaman a los padres intentando conseguir su alianza, pero los chicos también conocen la estrategia y tratan de que sus padres les crean a ellos.

Muchos padres llevan mal que sean otros los que ejerzan la autoridad sobre sus hijos y con ello apoyan la rebeldía del adolescente. Mal asunto, como veremos posteriormente.

¿CÓMO PUEDEN LOS PADRES AYUDAR A SUS HIJOS?

Los padres deben asimilar que el tipo de ayuda que va a precisar en esta etapa su hijo es muy diferente de la que le prestaban hasta ahora. ¿Recuerdan cuando era niño?, dependía de ustedes para todo: para vestirse, comer, curarse, salir, etc.

En la adolescencia seguirá siendo dependiente de muchas maneras, pero querrá alcanzar la independencia en un constante tira y afloja.

PREPARE EL TERRENO

La figura clave de referencia para los padres es el tutor: él como nadie le informará sobre lo que está aconteciendo con el chico. No se limite al ámbito académico, grave error de algunos padres, vaya más allá: cómo está siendo su integración en el grupo, con quién se relaciona en el recreo, si muestra comportamientos descorteses, respeta a sus compañeros y al personal del centro, demuestra interés por las materias, interviene en el aula, se le nota cómodo en su nuevo espacio, etc.

Toda la información que recabe será de gran utilidad cuando

14

tenga que abordar cualquier tema con su hijo. Al percibir que usted está interesado por lo que le pasa y no sólo por su rendimiento escolar, el chico se mostrará más dispuesto a dialogar y a confiarle sus sentimientos.

Sea sutil

Lo que usted puede interpretar como una nimiedad para su hijo puede ser un gran problema. En la adolescencia todo se magnifica, como en la casa de Gran Hermano; por ejemplo el chico puede sentirse rechazado simplemente porque otro no ha querido prestarle material escolar o porque ha salido corriendo y no lo ha esperado en la hora de recreo.

Es el momento de relativizar las cosas, sin quitarles importancia. Si el incidente es más grave, no haga juicios de valor precipitados, intente que su hijo asuma el error cometido y entienda que todo error necesita reparación.

Usted es su padre/madre, no su amigo/a

Le guste o no le guste, usted es la autoridad, y si su hijo percibe que la ejerce de manera caprichosa, acabará por rechazarla. No critique las decisiones de los profesores: puede que no siempre sean justas y equitativas, pero condenarlas supone erosionar la autoridad de ellos y de usted.

Conozca a los amigos de su hijo pero no se convierta en uno de ellos. Los amigos te comprenden y te dan la razón, usted tiene que tomar decisiones y no siempre son agradables. Dialogue con el chico, escúchele, intente ser justo, pero sea firme en sus principios: todo acto tiene consecuencias.

Actúe de modelo

Usted es el ejemplo a seguir; aunque no lo crea, su hijo anda como usted, se expresa como usted y ha adoptado muchos de sus comportamientos por simple imitación. No espere que vista como usted, hasta ahí podíamos llegar, su ropa es anticuada para él.

Si valora positivamente el trabajo de los profesores, su hijo hará lo mismo. Enséñele, con el ejemplo, a respetar la labor de todos aquellos profesionales que intervienen en su vida y la de su hijo.

Evite comentarios despectivos o fuera de lugar como: «qué bien viven», «cuántas vacaciones tienen» o «no hacen nada»; si no, cuando le mande estudiar, le responderá: ¡Que estudie el profesor que no hace nada! y se tendrá que callar.

En los próximos capítulos desarrollaremos pormenorizadamente estos y otros temas para que la entrada en el instituto y los años posteriores no se asemejen a un día en la casa del terror.

Son **25 sencillas reglas** que le harán disfrutar de la adolescencia de su hijo al tiempo que le ayudarán a convertirse en una mejor persona y un mejor ciudadano.

Regla número **1**
Destaque lo positivo

Si pasáramos una semana entera viendo los telediarios de los incontables canales de televisión que existen, seguramente nos entrarían ganas de construir una cabaña lo más alejada posible del género humano.

Con suerte nos podemos encontrar con dos o tres noticias positivas, pero la inmensa mayoría de informaciones hablan de desastres, asesinatos, corruptelas, violaciones, sicarios, drogas, etc. La información se sucede a ritmo vertiginoso sin apenas unos segundos para poder asimilarla; sólo cuando llega el bloque de deportes la cosa se serena. ¿Curioso no?

Aunque no lo creamos, algo parecido pasa, en ocasiones, en nuestra casa. Sea por la influencia de tanta televisión, sea por otros motivos, lo cierto es que tenemos una tendencia natural a poner énfasis en las cosas negativas que vemos.

Paco y Mari, un matrimonio de unos 40 años, habían criado a sus dos hijos de la misma manera. ¡Hasta la leche ha sido la misma!, comentaba su madre. Su hija menor, Ana, que acababa de cumplir 13 años, les estaba rompiendo los esquemas.

Una de las conductas favoritas de Ana era contestar a cada llamada que recibía de sus padres para hacer los deberes o ponerse a estudiar con un «ya voy o ahora lo hago». Daba igual que la petición fuera hecha una que diez veces: la respuesta de Ana era repetitiva y monótona como la de un contestador automático.

Al tercer «ya voy» los padres perdían los nervios y comenzaban una cadena tóxica de reproches. Una vez sí y otra también matrimonio e hija acababan por tirarse los trastos a la cabeza y la niña seguía sin ponerse a estudiar. Parecía claro que si la situación continuaba de esta manera, los atribulados padres sufrirían de hipertensión en poco tiempo.

Para hacer frente al asunto les enseñé una técnica muy sencilla; se trataba de cambiar el enfoque del problema: valorar lo positivo e ignorar lo negativo. Debo decir que me sorprendió la rapidez de los efectos de la nueva medida.

REINICIANDO EL SISTEMA

En un caso como el de Paco y Mari, no hay más remedio, como pasa con los ordenadores, que dejar la pantalla en negro y comenzar de nuevo.

Empezamos por buscar comportamientos positivos de la chica en relación con el estudio. En pocos minutos los padres eran capaces de relatar cosas como: era muy ordenada con sus libros y libretas, le gustaba llegar temprano a clase, el tutor destacaba su solidaridad y compromiso con los compañeros, tenía una lectura fluida y ágil, le encantaban los documentales sobre personajes históricos, etc. Identificados los comportamientos positivos, teníamos medio camino andado.

Sin embargo, no es habitual que en pocos minutos los padres sean capaces de mostrar las bondades de su hijo. No se preocupe, si en un primer momento no le resulta fácil describir los comportamientos positivos respecto del estudio del adolescente, tómese el tiempo que precise, siéntese con su pareja y entre los dos visualicen las cosas que hace bien, aunque su relación con el estudio sea insignificante.

Si todavía le resulta complicado, siga estas instrucciones:

- Comportamientos positivos no implica comportamientos perfectos. A todos se nos cae la baba cuando vemos un sobresaliente en el boletín de notas, pero actitudes como acabar un trabajo a tiempo, conseguir aprobar con un cinco raspado o salir voluntario en clase deben valorarse como positivas. Intentarlo es un éxito, aunque el resultado final no sea perfecto.

- Valore cualquier comportamiento positivo, no se centre exclusivamente en lo escolar. Si su hijo hace bien la cama, ayuda en las tareas domésticas o le gusta todo tipo de comida, aproveche para alabarlo. Con ello conseguirá no sólo que el estudio se vea reforzado sino que también se mantengan esos comportamientos en el tiempo.

- Evite las comparaciones. El hijo del vecino puede que sea un Einstein, pero puede también que sea una persona huraña y poco comunicativa. Si hace comparaciones, se le volverán en contra a medio plazo. En todo caso, si la tentación es muy fuerte, compare siempre lo positivo de su hijo con lo positivo del otro, nunca compare contrarios.

¡TÚ SIEMPRE «NEGATIFO», NUNCA «POSITIFO»!
(Van Gaal, exentrenador del Barcelona)

Una vez que hemos sido capaces de identificar comportamientos positivos hacia el estudio, toca empezar a poner en práctica nuestra estrategia. Pero cuidado que no se nos vea el plumero, habrá que ir poco a poco.

Cada día elegiremos, para reforzar, uno de los comportamientos positivos que hemos anotado. Vamos a tomar un ejemplo del caso de Paco y Mari. Sabedores de que a su hija le gustan la vida y obra de personajes de otras épocas, han decidido bucear en internet y elegir a alguno de ellos. Tras un primer vistazo, les ha llamado la atención la curiosa historia de Lady Godiva.

Lady Godiva fue una dama anglosajona del siglo XI que se paseó desnuda a caballo por las calles de su villa para de esta manera conseguir que su esposo bajara los impuestos a los más desfavorecidos. El tema es de gran actualidad en los tiempos que corren y propicia la reflexión sobre temas como el respeto, la solidaridad, los abusos económicos, las reivindicaciones, etc. Les sugiero que consulten en YouTube[1] esta versión moderna de la historia.

---

[1] http://www.youtube.com/watch?v=Wtx25fzTquM.

El siguiente paso fue comunicar a la chica que cuando acabase sus tareas escolares verían juntos algo que les llamó la atención en la red. Al conectar con sus intereses, los padres consiguieron atraer la atención de la hija. Una vez que acabó sus deberes, padre, madre e hija se sentaron cómodamente a ver el vídeo.

Al terminar el visionado, surgieron muchos temas de rabiosa actualidad. El padre cogió un bolígrafo y fue anotando los impuestos que al cabo de un año pagaban en la familia. Sorprendida, la hija de Paco y Mari reparó en lo mucho que cuesta mantener una casa, sus estudios o simplemente un electrodoméstico.

Como no podía ser de otro modo, el momento cena fue de lo más agradable; no se habló de estudios, la chica había cumplido su parte y los padres disfrutaron de la conversación con ella.

CONCLUSIÓN

Como saben, no es sencillo conseguir que los adolescentes se pongan a estudiar. Las regañinas apenas les afectan, por lo que conviene emplear estrategias positivas que favorezcan el diálogo y la comunicación.

Al crear un clima positivo, los padres consiguen una mayor receptividad de sus hijos a los mensajes, consignas, sugerencias, etc.

Estoy seguro de que su hijo hace infinidad de cosas estupendamente, como la hija de Paco y Mari. Pues bien, no las ignoren; al contrario, remárquenlas y destaquen lo orgullosos que se sienten de que sea tan ordenado con su ropa, atento cuando tienen una visita o solícito cuando le mandan hacer un recado. Céntrense en los comportamientos positivos, no sean rácanos en el lenguaje, díganle «alto y fuerte» lo bien que hace las cosas que hace bien.

Si destacamos lo positivo e ignoramos lo negativo, lograremos el cambio de actitud en el adolescente necesario para motivarse frente al estudio. Las cosas no vienen por sí solas. Si se muestran huraños y distantes, recibirán lo mismo de su hijo, malas caras e indiferencia.

Destacando lo positivo, aumentará todo tipo de comportamientos deseables en su hijo, y el estudio será uno de ellos. Enfatizando lo negativo, igualmente aumentará los comportamientos no deseables en su hijo. Usted elige; en ocasiones el camino más corto entre dos puntos no es la línea recta.

Paco y Mari fueron pacientes, supieron esperar. Aprendieron la importancia que tiene resaltar las cosas positivas y, por lo que me cuentan, se acabaron los «ya voy».

En el próximo capítulo conoceremos una manera simple y directa de lograr que los adolescentes hagan caso de las normas para así conseguir que mejore su rendimiento escolar.

Regla número **2**

Aprenda a negociar

Para poder consensuar las normas que van a regir el estudio, es condición necesaria, como vimos en el capítulo anterior, que previamente se haya establecido un clima positivo entre los padres y sus hijos. Por ello es muy importante que la negociación no se haga en caliente, después de un resultado escolar negativo.

Algunos padres, desesperados por las malas notas en una evaluación, cometen el error de castigar a su hijo con lo primero que les viene a la cabeza, por ejemplo retirándole el móvil o prohibiéndole salir los fines de semana. Este tipo de castigos son poco eficaces en la mayoría de los casos y generan estados de enfrentamiento entre padres y adolescentes.

A fin de evitar que los malos resultados escolares se traduzcan en malas relaciones personales entre hijos y padres, es aconsejable anticiparse y prever las consecuencias de estos comportamientos. Las siguientes sugerencias pueden evitarle disgustos mayores.

ESTABLEZCA LAS NORMAS A PRINCIPIO DE CURSO

Después de las vacaciones de verano estamos más relajados. El curso comienza y cuando nos damos cuenta el chico lleva varias semanas de clase. Casi sin enterarnos, acaba la primera evaluación y llegan los primeros resultados académicos. Si han sido positivos, miel sobre hojuelas, pero si han sido negativos aparece la frustración y se desatan todos los demonios.

En esta situación no estamos en condiciones óptimas para establecer nuevas normas. ¿Se imaginan que fueran a negociar la compra de un coche después de que el vendedor llegara tarde y hecho un basilisco? Es seguro que el mal humor haría fracasar la operación.

El adolescente agradece que se le diga qué se espera de él. Las normas deben consensuarse, preferentemente, a principio de curso. Como si de una hipoteca se tratase, hay que fijar todos los detalles que regirán las relaciones académico-familiares.

Cuanto más específico sea, mejores resultados obtendrá. Concrete los tiempos dedicados al estudio y al ocio. Realice un plan trimestral y revíselo al acabar ese período.

Piense que negociar lleva su tiempo, así que no espere que un sermón vaya a conseguir un mejor rendimiento escolar de su hijo. Vaya preparando el terreno durante el verano, hágale saber cuáles son sus expectativas y conozca las de su hijo.

SEA REALISTA, PROCEDA CON CAUTELA

Tenga en cuenta la historia escolar anterior: no pretenda saltar de un aprobado a un sobresaliente en un año. En ocasiones es mejor consolidar lo conseguido que arriesgarse a un fracaso.

Establezca metas al alcance de su hijo. A usted puede entusiasmarle que toque el piano, o que practique ballet clásico, pero si su hijo es torpe, sufrirá pensando que no es capaz de hacer nada. **Aplique la pedagogía del éxito y no la de la frustración:** es mejor una cosa bien hecha que ciento volando.

Tenga en cuenta los intereses de su hijo; los tiempos de ocio deben ser negociados. Usted puede considerar más importante una clase particular de inglés y a su hijo puede que le guste más practicar tiro con arco. En estos casos intente compaginar las dos cosas: en vez de ir tres días a la semana a inglés, que vaya dos solamente y que el tercer día el chico dedique su tiempo a la actividad que elija.

Asegúrese de que aquello que pacten pueda lograrlo. No sea «largoplacista», no espere que en 3.º de la ESO el chico piense en la carrera que va a hacer; es mejor que piense en lo que hará en las vacaciones de navidad o en el viaje de fin de curso. El adolescente no está preparado para pensar en el largo plazo.

PUNTUALIDAD INGLESA

Popularmente se ha corrido la voz de que el sistema escolar inglés es uno de los más duros debido a la estricta disciplina de sus escuelas; puede que así sea. En nuestro país llevamos peor la rigidez de horarios, pero al final debemos levantarnos a una hora para ir a trabajar y descansar lo suficiente por la noche para estar en condiciones al día siguiente.

Se deben negociar los horarios sobre la base de un descanso de 9 horas y el tiempo necesario para llegar al instituto 10 minutos antes de la hora de comienzo.

Si su hijo entra a las 8,30, debe estar a las 8,20 en el patio. Calcule cuánto tiempo le lleva desplazarse al instituto; por ejemplo si son 20 minutos, a las 8,00 el chico tiene que salir de casa. Sería conveniente que el chico se levantase una hora antes para asearse, desayunar y empezar el día sin estrés. Si su hijo es más lento, amplíe el tiempo para estas actividades.

Como ha de dormir 9 horas, el chico debe acostarse, si se levanta a las 7.00, a las 22.00. Puede parecer temprano, pero es necesario el descanso para poder rendir al día siguiente. A estas edades pueden producirse alteraciones en la rutina del sueño. Muchos adolescentes, especialmente los varones, las padecen (en ese caso consulte a su médico).

Una gran mayoría de chicos **con bajo rendimiento escolar** que me he encontrado apenas dormían 5/6 horas. Aunque se acostaban más o menos temprano, se pasaban varias horas antes de dormir hablando por teléfono o jugando *online*. Vigile con esmero que su hijo no lleve «distractores» a la cama.

Seguramente los padres han de cambiar también sus hábitos nocturnos; la cena debe adelantarse, y eso, en ocasiones, no es agradable. Piense que si su hijo ve que usted se esfuerza, él le imitará; si por el contrario usted no cambia nada, su hijo tampoco verá razones para cambiar. Predique con el ejemplo.

La proverbial puntualidad inglesa tiene mucho que ver con un reparto del tiempo más racional en los hábitos de sueño/desayuno/almuerzo/cena.

TERMINAR LO QUE SE EMPIEZA

La negociación debe incluir la organización del estudio y las tareas escolares. Los adolescentes suelen tener dificultades en la planificación porque sus hormonas, en constante ebullición, les hacen saltar de una cosa a otra en cuestión de segundos.

Recomiendo que se haga una organización semanal de las tareas escolares distribuyendo los tiempos destinados a cada materia y diferenciando los momentos de estudio de aquellos otros dedicados a los deberes.

Se trata de que poco a poco el adolescente vaya interiorizando las reglas que van a regir durante la semana. Al principio será necesario un control exhaustivo de cada tarea hasta que el chico sea consciente de sus responsabilidades. **Con el paso del tiempo el control externo debe convertirse en autocontrol.**

Para asegurarnos de que remata las actividades es conveniente contrastar la agenda escolar. Si el chico ha sido capaz de llevar a cabo el programa durante la semana, se debe prever qué consecuencias conlleva.

PÓNGALO POR ESCRITO

Los resultados de la negociación han de plasmarse en papel. De nada sirve llegar a acuerdos si luego no tenemos claros los términos establecidos. Los contratos que usted firma tienen articulado y cláusulas, y el principio rector es igual para el contrato que se derive de la negociación con su hijo. Firme y ponga fecha en su contrato de estudio.

Es vital que el contrato especifique lo que sucederá si se incumple. Ésta es la parte más dura, pero imprescindible. Evalúe cada semana si se está llevando a cabo lo pactado y, si no es así, aplique la norma correspondiente, aunque le duela.

Exponga el contrato en un lugar visible de la casa de manera que sea más fácil revisar su cumplimiento.

Poner las cosas por escrito acostumbrará al adolescente a hacer lo mismo en el futuro y a leer la letra pequeña. Probablemente de esta manera no confunda participaciones preferentes con imposiciones a plazo fijo.

Regla número **3**
Valore sus logros

Rubén tenía 14 años y estaba frente a mí en el despacho. Su tutor, preocupado por su rendimiento escolar, me había contado que llevaba un año muy raro, no entendía qué le pasaba. Me contaba que había hablado con su madre y que ésta no podía con él; incluso le había llevado a un psicólogo creyendo que podría ser hiperactivo. Había suspendido seis materias en la primera evaluación y sospechaba que la cosa podría ir a peor.

Al principio el chico estaba nervioso y desubicado, así que comenzamos a charlar de cosas intrascendentes hasta que, poco a poco, me gané su confianza. Le pasé unas cuantas pruebas y comprobé que Rubén era un chico muy inteligente. Sin embargo, noté enseguida que algo no estaba funcionando.

Su madre trabajaba mucho y no siempre estaba en casa para atenderlo; en ocasiones el chico comía solo y pasaba la tarde dando vueltas por la casa. Me contó que no conocía a su padre, pero que tampoco le importaba, aunque cuando lo narraba bajaba la mirada.

En el colegio Rubén era un muchacho alegre que mantenía buenas relaciones con los demás compañeros. Sin embargo le costaba concentrarse, las clases se le hacían eternas y pesadas. Pensé que era buena idea dejarlo y averiguar qué estaba pasando.

A los dos días tuve una entrevista con la madre. Susana era una mujer fuerte que había sacado a su hijo adelante ella sola. Durante la charla me mostró su preocupación por la situación de Rubén, creía que tenía algún problema. Todo lo centraba en los estudios; pensaba que si el chico fracasaba, no tendría futuro, y las cosas, decía, no estaban como para abandonar los estudios.

La relación entre madre e hijo era muy tensa. Se acusaban mutuamente de los males que les aquejaban. La madre incidía en que el chico no le prestaba atención y el chico se quejaba de que le agobiaba mucho con los estudios, que no le dejaba respirar. La desconfianza entre los dos era palmaria.

Rubén no se sentía querido, lo que le estaba generando una gran tensión emocional, y su madre se quejaba de que su hijo no apreciase todo lo que estaba haciendo por él. La distancia entre ambos confirmaba que se había abierto una brecha de consecuencias imprevisibles.

Cuando estamos tensos, no somos capaces de pensar con claridad. Como veremos más adelante, existen vías nerviosas que pasan directamente la información al sistema límbico, de manera que cuando sufrimos una emoción intensa, como la ansiedad que genera no sentirse querido, no somos capaces de afrontar la realidad de manera racional.

En el caso de Rubén, la tensión emocional era muy grande y la repercusión en su capacidad de aprendizaje resultaba evidente.

Rubén no controlaba su vida emocional, no era capaz de llegar a su madre; pese a intentar complacerla, nunca era bastante. La madre era en exceso exigente con su hijo, apenas prestaba atención a otra cosa que no fueran las tareas académicas. El chico no recordaba cuándo había sido la última vez que su madre le había dado un «achuchón».

Descontrolado emocionalmente, las posibilidades de fracaso escolar del muchacho eran muy grandes. Pese a tener un buen funcionamiento intelectual, su ansiedad le impedía rendir de acuerdo a su capacidad.

Nos enfrentamos a un dilema. No podemos separar nuestras emociones y sentimientos de nuestra razón. Las emociones influyen, cuando no determinan, las decisiones que día a día tomamos. Nuestro cerebro no analiza de manera independiente lo que sentimos y lo que pensamos, va todo unido.

Los publicistas lo saben muy bien: seguramente las hamburguesas de McDonald's no son las mejores, pero son las que más se venden. La red de franquicias ha asociado su producto a un sentimiento, y cuando entramos en un establecimiento de la marca no vamos a comer, vamos a relacionarnos, a sentir, a ser felices.

ESAS PEQUEÑAS COSAS TAN IMPORTANTES

La finalidad era que Susana aprendiera a valorar a su hijo por encima del estudiante. La madre se había centrado tanto en los resultados académicos que había olvidado al hijo, a la persona. Como en tantas ocasiones, los árboles no nos dejan ver el bosque

Le llevó semanas aprender que si no cambiaba su modo de relación con Rubén, el asunto iría a peor.

Comenzamos por analizar el contenido de los diálogos con su hijo. Para su sorpresa, Susana cayó en la cuenta de que casi exclusivamente hablaban de estudios, del futuro que le esperaba al chico si suspendía y de lo decepcionada que se encontraba. Había que cambiar de rumbo.

Las conversaciones dejaron de girar en torno a los estudios. Antes ese tema era el pivote de sus relaciones, no importaba si acababa de llegar a casa, si se sentaban a comer, si le llamaban por teléfono o si recibía un e-mail. Una vez tras otra acababan discutiendo por los estudios.

Susana cambió el chip y **comenzó a interesarse por lo que interesaba a su hijo.** Al principio no obtuvo respuesta porque el chico estaba bloqueado e interpretaba los acercamientos de la madre de manera negativa. En no pocas ocasiones estuvo a punto de tirar la toalla ante los desaires de su hijo.

La respuesta de Rubén era la lógica, teniendo en cuenta los precedentes. Acostumbrado a pelear cada vez que se relacionaba con su madre, no entendía que ahora se interesara por sus cosas y sobre todo que no lo juzgara.

Aunque le costó tiempo y paciencia, poco a poco fue entrando en el mundo de Rubén, en sus gustos, sus necesidades y sobre todo sus miedos.

Al verse comprendido y escuchado, el chico fue lentamente abriéndose; ya no pasaban todo el día a gritos, ahora podían hablar y sobre todo podían hacerlo sin reproches. Susana evitaba hacer juicios de valor sobre las ideas de su hijo, lo que incitaba a Rubén a manifestarle sus sentimientos.

El proceso fue lento pero efectivo. Paulatinamente el chico fue retomando las actividades académicas que anteriormente le resultaban pesadas y aburridas. Con el apoyo y la complicidad de su madre, se sobrepuso a sus malos resultados escolares.

Susana aprendió una lección muy importante: «Más se consigue con miel que con hiel». Meses después me comentaba muy contenta: «¡Por fin disfrutamos los dos juntos, ahora sé que lo importante NO es la hamburguesa!».

EFECTOS NO DESEABLES DE LAS RUPTURAS

El caso anterior es relativamente frecuente. Al margen de que los padres hayan decidido vivir separados, siguen siendo padre y madre de su hijo, con lo que esto conlleva. La educación y el cuidado de los hijos siguen siendo responsabilidad de las dos partes.

Cuando una de las partes, habitualmente la madre, se hace cargo de la totalidad de las responsabilidades que supone el manejo de los hijos, pueden aparecer situaciones de sobreprotección o culpabilidad, como en el caso anteriormente relatado.

Lo mejor, sin duda, es prevenir. La pareja ha de ser consciente de los efectos perniciosos que tendrá la desaparición de una de las dos figuras, sea la femenina o la masculina, de la vida de los hijos.

Han de evitarse luchas estériles. La ruptura tiene un componente emocional muy elevado que puede llevar a uno o ambos miembros de la pareja a proyectar sobre los hijos sus propios fantasmas. La mayoría de nosotros hemos visto encarnizadas peleas legales cuyo coste ha sido el sufrimiento innecesario y gratuito de la parte más débil, el hijo o los hijos.

Las secuelas de estas «peleas de gallos» afectarán a los hijos toda la vida, pero especialmente durante la adolescencia. No anteponga sus intereses personales o su odio larvado al correcto desarrollo personal y emocional de su hijo; de no hacerlo así, se volverá contra usted más temprano que tarde.

Las cosas pueden ser igual de nefastas por acción que por omisión. La desaparición voluntaria de una de las figuras de referencia (padre o madre) igualmente tendrá consecuencias indeseables.

Los hijos de padres separados en conflicto manifiestan una baja autoestima, obtienen peores resultados escolares, muestran comportamientos más conflictivos, se rebelan más agresivamente ante la autoridad, establecen relaciones destructivas con sus compañeros y en general son más resistentes al cambio.

Regla número **4**

Ejerza de modelo

¿Se han parado a pensar alguna vez por qué los adolescentes necesitan vestir como su grupo de amigos?

En la adolescencia el grupo de iguales cobra una importancia capital, ser aceptado es una de las prioridades en esta etapa. El cuidado del aspecto exterior representa una de las actividades en las que los chicos y las chicas van a invertir más tiempo y que a usted le va a generar más dolores de cabeza. Pero no se preocupe: es la necesidad de forjarse una identidad la que mueve a los adolescentes a buscar referencias fuera del ámbito familiar; no lo hacen por fastidiar, aunque lo parezca.

Se calcula que la incidencia de la familia en la adolescencia es de tan sólo el 10%; el 30% lo representarían los medios de comunicación, y la parte gorda, el 60%, serían los amigos, compañeros y otros chicos. Visto así, podríamos pensar que queda poco margen de maniobra, y en parte es cierto: con el paso de los años los padres van perdiendo ascendencia sobre los hijos; de pequeños les necesitaban hasta para cruzar la calle y ahora no les dan la mano en público así se la corten.

UN 10% DE CALIDAD

Bien aprovechado el 10%, ustedes pueden hacer maravillas. Pensemos que antes de convertirse en terribles adolescentes, eran unas tiernas criaturas bien educadas. Si el proceso ha ido bien, las influencias de amigos y medios de comunicación estarán muy condicionadas. Ahí radica su fuerza como padres. Si por cualquier circunstancia no han estado lo suficiente con sus hijos en momentos anteriores, entonces es cuando el 10% es literal y su incidencia es pequeña.

La mayoría de nuestros aprendizajes se producen por imitación; si no, recuerde cómo aprendió su hijo a hablar: nadie le enseñó las reglas gramaticales básicas ni tampoco aquellas más complejas, como conjugar los verbos irregulares, y sin embargo aprendió el lenguaje oral. **Su hijo lo imita todo de usted,** la forma de hablar, su manera de andar, los gestos, el modo de comer, el respeto a la autoridad, etc.

La mala noticia es que también imita los comportamientos poco deseables; pongamos un ejemplo: usted quiere que su hijo estudie, tenga buenas notas y acabe haciendo una carrera; pues bien, si usted pasa la tarde en el sofá viendo telebasura y cambiando de canal cuando emiten una película con subtítulos..., ¿cree realmente que terminará siendo el estudio una prioridad para su hijo?

Cuide con mimo cada palabra, gesto u opinión que emite delante de su hijo; si no lo hace de esta manera, no se escandalice cuando sea reprendido por sus profesores o vecinos. Estimule con el ejemplo: si usted lo hace, él lo hará; si usted no lo hace, él no lo hará.

CUIDE EL ATREZO

La puesta en escena es de capital importancia si usted quiere que su hijo adquiera buenos hábitos intelectuales. Un ambiente rico en estímulos que inciten a la lectura seguramente hará que su hijo adquiera el hábito de leer; recuerde que el instituto es un lugar en el que la lectura y los intercambios verbales son actividades muy frecuentes.

Coloque una estantería en el salón de su casa llena de libros y no se olvide de que su hijo lo vea leyendo; no se trata de empaparse con las obras de Tolstoi, vale simplemente con una novela o una revista de divulgación.

Se trata de que la televisión no ocupe todo su tiempo. Durante las horas de calidad, el desayuno, el almuerzo o la cena, es necesario que la caja tonta esté en *off*. Estos momentos son ideales para charlar de sus cosas y las de sus hijos; aprovéchelos para conocer qué está pasando, cuáles son sus intereses y qué planes está haciendo. Deje que la conversación fluya, no fuerce al chico a que le cuente cosas.

Si usted desea tener un hijo ordenado, comience por poner orden en su casa. Las distintas dependencias de su domicilio han de estar debidamente equilibradas. Un salón caótico, en el cual pululan a su antojo revistas, papeles, mandos a distancia, ceniceros, etc., invitará a su hijo a hacer lo mismo en su habitación. Luego no se queje de que el chico lance las camisetas, desparrame los libros o ensucie con sus zapatillas por donde pase.

MANTENGA DIÁLOGOS ABIERTOS

La comunicación fluye cuando el diálogo es abierto y sincero. Primero escuche, no sólo lo que le dice su hijo sino también cómo lo dice. En ocasiones el entusiasmo adolescente puede desbordarle, pero aun así escuche atentamente lo que tenga que decir. No despache los asuntos con un «¡ya veremos…!».

Destaque aquellas personas que han conseguido aportar algo a la sociedad, la cultura o la ciencia. Si su hijo le escucha hablar con admiración de personas cuyo esfuerzo ha supuesto un avance en alguno de estos campos, querrá ser como ellos, imitarlos. Pero también **escuche al chico cuando hable de sus ídolos,** muestre interés por conocer más de ellos, de su vida, sus motivaciones y su fama.

Piense que su hijo tiene otras referencias; es posible que a usted el rap le parezca música aburrida y monótona, pero si la desprecia o minusvalora, luego no se asuste si al sonar su grupo favorito le tacha de antediluviano.

Si exhibe flexibilidad y apertura en la charla, el adolescente aprenderá a ser flexible y abierto. No descalifique sus opiniones, por muy extravagantes e idílicas que parezcan, escúchelas con atención y después exponga las suyas, sin críticas. Actúe como modelo positivo aceptando la diversidad de pareceres; esto enriquecerá a su hijo y le hará más fuerte.

Y, SOBRE TODO, EDUCACIÓN

Sé que es cansino, pero la responsabilidad de ser padre o madre es 24 horas al día, 365 días al año, no hay tregua. Por eso ha de cuidar con especial esmero todo lo que diga o haga, especialmente aquello que tenga que ver con los demás.

Cuando va a una reunión de vecinos, a comprar el pan o a pasear al perro acompañado de su hijo, piense que cada cosa que diga o haga quedará en su mente. Si usted cuida el lenguaje y los gestos que hace en cualquier interacción social, difícilmente le llamarán del instituto porque el chico ha tenido mal comportamiento.

Dé muestras de respeto a la autoridad. Si le han puesto una multa de tráfico por aparcar incorrectamente, no le eche la culpa al policía, tráguese la bilis y explique a su hijo que no debió aparcar en ese lugar; luego, si quiere, pinche alfileres en un muñeco guardia. Respete las normas y su hijo aprenderá a respetarlas.

Enseñe a su hijo las normas básicas de cortesía. No tiene por qué hacer un listado, basta con que usted las aplique. Al verle a usted, su hijo las ejecutará de forma automática. Hágale ver la importancia que tienen las formas en el trato social y las ventajas de este tipo de comportamientos.

EN RESUMEN

Lo lamento si su hijo a adoptado un *look* rapero o gótico: son cosas de la adolescencia. En el vestir no le va a imitar, al menos hasta dentro de unos años; piense que para ellos somos cavernícolas, no sabemos nada, no nos enteramos de nada. No se haga mala sangre por eso, no pierda un minuto de su vida amargándose, y cuando llegue la fiesta familiar, diga que el chico es así, rarito.

Centre los esfuerzos en su pensamiento, ejerza su modelaje sobre la manera de ver el mundo. Al final el adolescente quiere estar con sus amigos, es lo normal; lo importante es que recoja sus enseñanzas a través de su ejemplo para que de esta manera sepa siempre qué es lícito hacer y qué no.

Aunque usted no lo crea, todo lo que haga se verá reflejado más temprano o más tarde en el comportamiento de su hijo. Conviértase en un ejemplo a seguir.

Regla número 5
Mantenga la calma

Si nos damos un paseo por el parque y distraídamente reparamos en el comportamiento de los adolescentes que en ese momento están por allí, observaremos en sus rostros dos tipos bien diferenciados de estados de ánimo: los que ríen a carcajada limpia y los que tienen cara de Al Capone. Raramente nos encontramos con el punto medio, que según Aristóteles es donde está la virtud.

En cierta manera el adolescente es un ser bipolar capaz de cambiar de humor con una gran facilidad, para desesperación de los adultos. Las razones de esta plasticidad están relacionadas con la activación de la amígdala y el poco entrenamiento de su neocórtex, de los que hablaremos en capítulos posteriores.

Cuando es el buen humor el que aparece, no hay problema; ¿pero qué pasa cuando el adolescente está en modo «No me mires, no me hables, no me toques»?

El diálogo se bloquea, haga lo que haga el chico no escuchará. Secuestrado por su estado emocional, apenas reparará en lo que le diga. Probablemente cuanto más intente calmarlo, mayor será su irritación.

En este contexto, cualquier actividad escolar es rechazada. Los sermones y la peroratas sobre lo que le conviene o las consecuencias de sus actos difícilmente tendrán efecto. Es incluso probable que reciba alguna contestación extemporánea sobre usted o lo que dice.

Imagínese que el chico está en clase un día como otro cualquiera y el profesor le pregunta algo y él titubea. Entonces es cuando el docente se dirige a él comentándole que había que haber entregado el trabajo ese mismo día. Enfadado, discute con el profesor. «¡No era hoy, tengo anotado que había que entregar el trabajo la semana que viene!»

Cada vez más molesto, empieza a elucubrar sobre el profesor. «¡Viene a por mí, me tiene manía, siempre me está mirando, me tiene hasta los mismísimos...!»

El adolescente inicia una cadena de pensamientos negativos que van generando un subidón en su cabreo. Aguanta la hora de clase, sale del instituto hecho una fiera, llega a casa y lo que era un saludo normal por su parte él lo interpreta como una hostilidad. En definitiva, «habemus problema».

LA MADRE DE TODAS LAS BATALLAS, LA AMENAZA

El desencadenante del mosqueo de su hijo es la percepción de estar amenazado. La amenaza no tiene por qué ser real, puede ser también imaginada; de hecho el profesor pudo equivocarse en la fecha de entrega, o bien ese día su hijo la anotó erradamente. Sea como fuere, se desató la cólera de forma inmediata al creer que la advertencia del docente era algo personal.

En este caso el chico es incapaz de reflexionar, sus respuestas son impulsivas. Enojado, no atenderá a razones. El cuerpo se tensa y se predispone a la lucha.

No es de extrañar que la entrada en casa sea, cuando menos, desagradable. Con gesto arisco, no tendrá ganas de hablar, probablemente ni de comer. Interpretará cualquier actitud como hostil y responderá de manera esquiva a cualquier comentario que usted le haga.

La respuesta de lucha o huida está inscrita en nuestros genes. Cuando nos sentimos amenazados, respondemos de una de las dos maneras. Fisiológicamente nuestro organismo también se dispone a luchar o huir. La presión sanguínea, la respiración, el ritmo cardíaco, la sudoración y la tensión muscular se adecuan a la situación. ¿No recuerda qué le pasó aquel día que discutió con su vecino por los ladridos del perro que no le dejaban dormir?

CONTROLANDO LA AMENAZA

A medida que el adolescente se va calentando, es menos probable que surja algún comportamiento mitigador de su enfado. Dicho de otra manera, si en los primeros momentos no somos capaces de parar nuestros pensamientos negativos, nos enfrentamos a una reacción en cadena de imprevisibles consecuencias.

Por eso es clave intervenir sobre el primer pensamiento negativo que nos asalte. En el ejemplo anterior, si el chico hubiese interpretado el comentario del profesor de la siguiente manera: «puede que me haya equivocado al anotar la fecha de entrega del trabajo», o bien: «con tantos alumnos seguramente se ha equivocado al referirse a mí», el cabreo no se habría disparado.

Esta forma de ver las cosas propicia el entendimiento entre las partes. El profesor puede que no acepte la entrega del trabajo otro día, pero es seguro que escuchará al muchacho y considerará la posibilidad del propio error.

El modo más común de afrontar una situación de enfado es distanciarse del problema. Dar un paseo, ir al cine o leer una revista favorece el paso del tiempo y ayuda a las personas a calmarse. Desafortunadamente nuestro protagonista no tiene esa posibilidad, pues ha de seguir pegado a la silla atento a lo que se explica en clase.

Otra manera de aplacar nuestro excitado organismo es mediante la relajación. Respirar profundamente o realizar ejercicios de tensión-distensión muscular son magníficas herramientas para paliar estados de ánimo elevados. Como en el caso anterior, en el aula es difícil poner en práctica estas técnicas.

En definitiva, acaba la jornada escolar, el muchacho vuelve a su casa, por el camino va dándole vueltas a lo ocurrido en las clases y, lejos de aplacar su enfado, su actitud es más huraña. ¿Qué puede pasar?

En buena medida lo que va a acontecer tiene mucho que ver con la actitud que usted manifieste.

SERÉNESE Y SU HIJO SE SERENARÁ

De una manera u otra, si su hijo llega exaltado a casa, no intente que le diga nada o le hable. Al verle preocupado, la tendencia natural es preguntar qué ha pasado, es lógico, pero, más allá de la pregunta inicial, usted debe mantener la calma. Adopte una posición de tranquilidad: al ver su estado de paz, poco a poco el chico se irá calmando.

Si usted se excita al ver a su hijo excitado, solo conseguirá aumentar su desasosiego. Un error común es presionar para que el chico cuente inmediatamente lo que le ha pasado. Evite las preguntas sobre lo que ha podido ocurrir, simplemente espere. El organismo necesita su tiempo para estabilizarse después de un episodio de estrés.

De alguna manera, el muchacho está secuestrado emocionalmente. Preso de sus emociones, es incapaz de responder de una manera racional. Deje pasar un tiempo prudencial antes de retomar la conversación sobre lo que pudo o no pudo pasar.

En ocasiones la cadena de pensamientos negativos que trastorna emocionalmente al adolescente es muy potente, y pese al transcurso de las horas, el enfado persiste. En estos casos sólo queda intentar anular su excitación fisiológica.

Se trata de buscar una respuesta incompatible con el nerviosismo. Cualquier ejercicio físico favorece la progresiva desaparición de la excitación. ¿Cuántas veces hemos salido a la calle simplemente para evitar comernos el coco?

De hecho en estas edades es muy recomendable algún tipo de actividad física, puesto que los adolescentes viven en un constante vaivén emocional. La práctica de algún deporte dos o tres veces por semana tiene beneficios evidentes, no sólo físicos.

Lo ideal es el ejercicio físico, pero si, por cualquier circunstancia, no fuera posible, entonces habrá que recurrir a algún tipo de distractor más casero. Simplemente sentarse en el sofá y ver algún reportaje en la televisión, o echar una partida al Monopoly o cualquier otro juego de mesa favorece la progresiva desaparición de los estados de ánimo alterados. La mente se centra en la actividad y el cuerpo va poco a poco relajándose.

Sólo cuando perciba que su hijo se ha serenado será el momento de abordar la situación que le ha producido tensión.

Regla número **6**
Dosifique los afectos

Tradicionalmente se ha minimizado la influencia de las emociones en el ámbito escolar. Pensamos que la principal causa de fracaso en el instituto se debe a factores intelectuales, pero mis años como orientador me han enseñado que no suele ser así.

Cité a la madre de Enrique, un adolescente de 14 años, una mañana de invierno. El chico había repetido 1.º de la ESO y ahora se hallaba en 2.º con varias materias pendientes. Su actitud en clase había empeorado hasta el punto de empezar a faltar al respeto a profesores y compañeros. No participaba en el aula y tampoco llevaba los deberes y trabajos que se le encargaban. Por otro lado, Enrique era un chico con una buena capacidad intelectual, despierto e inquieto.

Los padres de Enrique se habían separado unos tres años atrás y la madre tenía una nueva pareja que vivía con ella y el chico. Las relaciones del muchacho con la nueva pareja de su madre eran tensas.

Marta me comentaba que las cosas iban de mal en peor. Enrique se negaba a realizar las tareas escolares, empezaba a relacionarse con otros chicos en su misma situación y habían comenzado las palabras malsonantes, cuando no insultos, hacia ella y su nueva pareja. Había probado de todo: quitarle el móvil, castigarlo sin salir a la calle, retirarle la conexión a internet, etc. Muy preocupada, no sabía qué más podía hacer.

Tras un largo rato de charla, la madre de Enrique admitió que los castigos no habían hecho efecto alguno; más bien al contrario, parecía que al adolescente le daban igual. Cuando le pregunté cuánto tiempo duraba el castigo, me dijo que no mucho, puesto que el chico la camelaba para que cesara la situación. Sólo en ese momento Enrique se mostraba cariñoso y suavizaba el tono.

El muchacho se había convertido en un hábil manipulador de los sentimientos de la madre, quería todo el amor para él y por eso no admitía la nueva pareja. **Su manera de tener pendiente a la madre era rebelarse**, incrementando cada día el volumen de su voz y los gestos desafiantes.

Cuando Marta respondía con un castigo, pasaban unos días tranquilos hasta que el chico reclamaba besos y abrazos, la madre cedía y se volvía a repetir el círculo vicioso de la relación.

La historia de Enrique tenía mala pinta si continuaba por este camino; en poco tiempo, a lo sumo dos años, probablemente el chico fuese ingobernable, los insultos se convertirían en agresiones, la situación escolar se deterioraría y la relación con la nueva pareja se vería seriamente afectada.

Para que comprendiese lo que podía pasar, le aconsejé ver un capítulo del programa *Hermano Mayor*[1] en el cual el chico no admitía las relaciones de pareja de su madre, esclavizándola y poniendo en riesgo su integridad. Se sintió tan identificada que, al día siguiente, me llamó por teléfono angustiada pidiéndome empezar cuanto antes; estaba dispuesta a cualquier cosa con tal de evitar que su hijo siguiera por el mismo camino.

La madre de Enrique había perdido el control sobre su hijo, era urgente que lo recuperase o las cosas podían ir a peor en poco tiempo. Se tenían que acabar las discusiones estériles; era el momento de cambiar.

---

[1] http://www.mitele.es/programas-tv/hermano-mayor/temporada-4/programa-31/.

VAMPIRIZANDO LAS EMOCIONES

Marta debía aprender a regular y modular sus emociones para, de esta manera, ir recuperando poco a poco el control sobre las emociones y comportamiento del hijo.

Empezamos a trabajar el sentimiento de culpabilidad que tenía por haber acabado su matrimonio. Ella creía que debía dar a su hijo todo lo que no había podido darle por haberse separado. Le expliqué que había sido una gran madre con un gran coraje y que separarse no la hacía mejor ni peor. El dar más no era sinónimo de dar mejor.

Posteriormente identificamos los comportamientos agresivos de Enrique y su reacción ante ellos. Marta empezó a ser consciente de que pasase lo que pasase respondía siempre con amor, algo muy noble pero que le estaba costando caro. Le enseñé que una relación, del tipo que sea, ha de basarse en la reciprocidad, y que mientras que recibía amenazas e insultos, ella respondía con todo su arsenal de afectos, algo que terminaba por producirle un gran dolor.

Marta justificaba su comportamiento en la creencia de que una madre ha de estar siempre dispuesta a darlo todo sin esperar nada a cambio. Esta manera de ver las cosas estaba convirtiendo a su hijo en un vampiro emocional.

Inconscientemente, la entrega incondicional a su hijo la estaba llevando a un túnel sin salida. Incapaz de controlar las muestras de afecto, era capaz de poner en riesgo la relación con su pareja y su propia existencia.

Han de medirse las expresiones de afecto como se pesarían las pepitas de oro. **Los excesos en la manifestación de afectos pueden volverse contra usted,** siendo utilizados bien para hacerle daño, bien para que el otro consiga sus propósitos.

Para saber cuándo era el momento de expresar sus emociones, trabajamos la comunicación no verbal. Marta aprendió a prestar atención a los comportamientos positivos e ignorar los negativos.

Cada vez que el chico se mostraba desafiante, ella permanecía impasible y ese día no había diálogo ni ningún tipo de comunicación. Por el contrario, cada vez que observaba un comportamiento positivo, se acercaba al muchacho de manera tranquila y le hacía algún tipo de guiño.

El principio rector de esta estrategia es el mismo cuando un niño de 4 años emprende una rabieta que cuando un adolescente inicia comportamientos impulsivos verbales o físicos. En ambos casos se trata de llamadas de atención para conseguir lo que quieren. Puede ser una chuche en el súper o 20 euros para irse de marcha un fin de semana.

Para extinguir estos comportamientos es preciso que los padres los ignoren y que nunca, repito, NUNCA, los chicos acaben consiguiendo sus propósitos. Una vez que el momento rabieta del niño o del adolescente ha pasado, es seguro que se acercará en busca de afecto. Pues bien, luego de un comportamiento indeseable, no, repito, NO se puede responder con afecto.

Si su hijo termina consiguiendo el objeto reclamado o bien afecto tras un comportamiento inapropiado, luego no se queje de lo que pueda pasar. Y si aún tiene dudas, no se pierda el próximo capítulo de *Hermano Mayor;* en caso de que ya no emitan el programa, búsquelo en la red.

La buena o mala gestión de las emociones por parte de los padres puede determinar el éxito o fracaso personal, social o profesional de sus hijos en el futuro. En su libro *La inteligencia emocional,* Daniel Goleman comenta: «Existen muchas más excepciones a la regla de que el CI (cociente intelectual) predice el éxito en la vida que situaciones que se adapten a la norma. En el mejor de los casos, el CI parece aportar tan sólo el 20% de los factores determinantes del éxito (lo cual supone que el 80% restante depende de otra clase de factores)».

Convencida de que si no se ajustaba a las pautas que habíamos puesto en marcha no solucionaría nada, Marta reaccionó, y aunque costó y fueron muchos los fracasos, al final consiguió asumir el control emocional de su vida y la de su hijo.

No subestime la fuerza de los afectos, pues una mala gestión de éstos puede conducir a su hijo al fracaso en la escuela y en la vida.

Regla número 7
Enséñele a manejar la ansiedad

Si algo puede sacarnos de nuestras casillas es enfrentarnos con una persona desquiciada. A lo largo de la adolescencia, los padres pasan por momentos muy delicados, pues los hijos llegan a ser motivo constante de preocupación y en no pocas ocasiones se produce el conflicto.

Julia estaba al borde de la paranoia. Su hijo, un adolescente de 16 años, parecía estar en permanente estado de inquietud. Lo que más le preocupaba era el pánico que el chico tenía a los exámenes. Un año antes comenzaron los problemas. Un día Gabi, sin aparente motivo, se puso malo, vomitó y no quiso ir al instituto al día siguiente. Lo llevaron al médico para que lo viese y el galeno fue claro: «está perfectamente, lo que tiene no es nada físico, está muy nervioso y lo está somatizando a través de la comida».

Perplejos, Julia y su marido no entendían por qué, repentinamente, Gabi actuaba así. Esperando que fuera algo pasajero, trataron de restarle importancia. El adolescente estuvo un par de días en casa y posteriormente se incorporó a las clases de manera natural. Pero al cabo de dos semanas, de nuevo volvió a reproducirse la situación. Gabi tenía otro examen y el día anterior empezaron los vómitos y el malestar general. Esta vez el chico no se quedó en casa porque los padres, algo enfadados, le obligaron a asistir al instituto.

El examen quedó en blanco. Antes de escuchar las preguntas, Gabi tuvo que levantarse y dirigirse al baño a vomitar. Los padres fueron avisados y al poco rato estaban recogiendo a su hijo, pálido como un noruego en Marbella.

EL CIRCUITO DE LA ANSIEDAD

El recorrido de la ansiedad es similar al que hace Fernando Alonso cuando va a disputar una carrera de Fórmula 1. Minutos antes del comienzo del gran premio, los nervios están a flor de piel. Por la cabeza del piloto pasan muchas imágenes de lo que puede suceder a continuación. En esos instantes todas sus constantes vitales están al límite, el ritmo cardíaco se dispara, aumenta la sudoración y la tensión alcanza niveles desconocidos. Una vez que se inicia la competición, toda la atención se centra en lo que hay que hacer, las imágenes desaparecen y el piloto sólo está atento a sacar el máximo provecho de su coche.

La ansiedad se activa cuando imaginamos un peligro o una situación potencialmente agresiva. Esta forma de proceder es natural y necesaria para adaptarnos al medio; todo nuestro cuerpo actúa en consecuencia, por decirlo de algún modo, se prepara para afrontar el peligro real o potencial.

Por otro lado, **una simple imagen tiene el mismo efecto que la situación real.** En el caso de Gabi, la imagen del profesor repartiendo el examen suscita en él un aluvión de sensaciones desagradables, disparando reacciones fisiológicas como la sudoración o el ritmo cardíaco.

Para mitigar la ansiedad, nuestro cerebro elabora todo tipo de estrategias. «Qué me dirán en casa si suspendo...», «No me llegará la nota para hacer la carrera que quiero...», «Este profesor me la tiene jurada...», etc.

Estas frases que el chico se dice a sí mismo no hacen otra cosa que añadir nuevas preocupaciones. En principio, mientras Gabi está elucubrando, las imágenes desaparecen y la ansiedad inicial se diluye. Absorto en sus pensamientos, el chico consigue evitar las imágenes activadoras de la ansiedad. Pero permanecer en esta situación, como es fácil adivinar, tendrá consecuencias todavía peores a medio plazo.

El riesgo viene determinado por la permanencia, durante largos períodos de tiempo, en pensamientos destructivos. Este tipo de pensamientos son reforzados al anular parcialmente la angustia. Dicho de otra manera, Gabi se defiende de la imagen del profesor repartiendo el examen mediante pensamientos angustiosos que puede manejar y son menos dañinos que la imagen en sí.

Pero la preocupación crónica por la situación y el hecho de no buscarle soluciones resultan desilusionantes. Aunque inicialmente sirvan a Gabi para aplacar la ansiedad, lo cierto es que sus pensamientos autodestructivos acabarán por superarle. Como consecuencia, su organismo responde rechazando los alimentos.

SENTIR, PENSAR... ACTUAR

Aunque, en ocasiones, pensemos que estas cosas aparecen de manera repentina, no es así. Para poder anticiparse y por lo tanto prevenir una situación como la descrita, debemos estar atentos al mínimo cambio en el chico.

Ante la primera señal de preocupación, conviene que se acerque a su hijo y le pregunte qué está pasando. Probablemente no sepa decir qué le pasa; no importa, **lo relevante es que les diga cómo se siente.** Céntrese en cómo está viviendo el chico la situación; tras un rato puede comentar algo así: «Cada vez que me mira el profesor, me siento fatal...», «Me pongo nervioso al entrar en las clases de matemáticas...», «Estoy deseando salir al recreo...».

Una vez que sabemos lo que siente, es más fácil acceder a sus pensamientos. Tomemos la última de las frases y observemos un posible diálogo:

Madre: Me dices que estás desando salir al recreo. ¿Qué piensas en ese momento?...

Hijo: No sé, que así me libraré de que me pregunte.

Madre: ¿Por qué no quieres que te pregunte, qué te molesta?

Hijo: No saber responder, quedar en ridículo delante de toda la clase.

Madre: ¿Crees realmente que los otros chicos se reirían porque tú no sepas algo?

Hijo: Sí.

Madre: Cuando alguien no sabe algo, ¿os reís de él?

Hijo: A veces.

Madre: ¿A ti te parece gracioso que un compañero no sepa algo?

Hijo: No, bueno, a veces sí es gracioso.

Madre: ¿Sabes?, a mí me pasó eso alguna vez, también se han reído de mí.

Hijo: ¿Y qué hacías, no te molestaba?

Madre: Claro que me molestaba, pero ¿qué podía hacer? Además sólo eran dos o tres chicos los que se reían, precisamente los que menos sabían...

Hijo: Ya, eso me pasa a mí.

La simple mención de lo que le pasa es ya de por sí un desahogo. Al hablar se va rebajando la ansiedad y de esta manera se evita enredar con nuevas preocupaciones. Le sugiero que no dejen pasar la ocasión, no den nada por hecho.

En el diálogo la madre va hábilmente desdramatizando los hechos, los vacía de contenido personal. Esta manera de proceder es muy interesante puesto que a medida que va relajando a su hijo va ofreciendo otra manera de ver las cosas, relativizando su importancia.

También emplea una estrategia muy astuta: se pone de ejemplo. Cuando el chico es consciente de que lo que le pasa no es algo singular, sino que también le pasó a su madre, se siente identificado y por lo tanto estará a la expectativa de cómo resolvió la situación su sabia progenitora.

En la última parte del diálogo, la madre le da la clave para la solución: «precisamente los que menos sabían...», con lo cual consigue que el chico sea consciente de que no es un comportamiento aceptable y que surge de unos pocos «elegidos». Dicho con otras palabras, ha puesto en marcha su pensamiento racional.

Habitualmente las cosas suelen quedar aquí. Pero no siempre pasa. Cuando la situación se desborda, como en el caso de Gabi, hay que ir un paso más allá.

Sentir, pensar y... actuar; esta última parte es algo más complicada. En síntesis, consiste en enseñar al chico a identificar las señales de la ansiedad a través de situaciones, imágenes y pensamientos perturbadores que lo desencadenan y sobre todo de las sensaciones físicas acompañantes.

La cuestión es que el chico sea consciente de que la ansiedad o el nerviosismo no lo genera la situación «per se», sino el manejo que hace de ella. Si es capaz de reconocer que son sus pensamientos los culpables de la ansiedad, y por extensión del malestar fisiológico, entonces estará en condiciones de controlar y reconducir los pensamientos negativos. Por decirlo de un modo simple, aprender a controlar los pensamientos y no que los pensamientos nos controlen.

Para esta fase es recomendable la ayuda de un profesional. En un caso como el de Gabi, no sólo es recomendable: es necesaria. Con el entrenamiento oportuno puede llevarse a cabo en casa, actuando los padres como colaboradores del terapeuta.

Por último, y a fin de evitar la aparición de pensamientos perturbadores en un futuro, es aconsejable trabajar las ideas irracionales que los mantienen. Enseñar a manejar las ideas irracionales requiere la competencia de un profesional experto. No dude en pedir ayuda si la situación se cronifica: cuanto antes se intervenga, mejores serán los resultados.

Felizmente la mayoría de las situaciones en que se dispara la ansiedad pueden resolverse de una manera sencilla o con un poco de apoyo similar al que hemos visto en el diálogo.

© Ediciones Pirámide

Regla número 8
Actúe si está triste

«De niño Toni era un cielo, alegre, divertido y algo trasto, pero todo cambió cuando nos mudamos de ciudad y tuvimos que matricularlo en un nuevo instituto. Desde hace unos meses está irreconocible, apenas habla, se encierra en su habitación, cuando le preguntamos, agacha la cabeza, no le apetece salir de casa... No sabemos cómo actuar.»

Quienes me contaban la historia eran sus padres Ana y Carlos, una pareja joven y vital pero superada por la situación que se había creado con su único hijo.

Según decían, Toni parecía haber perdido el interés por todo, el cambio de ciudad le había afectado negativamente y estaban planteándose dar marcha atrás en sus planes.

Toni tenía 15 años, estaba acabando el curso escolar y pensaba que lo mejor sería repetir.

Las notas de las evaluaciones habían sido discretas, pero no tan malas como para abandonar en el mes de abril. Daba la impresión de que prefería perder un curso a seguir con sus compañeros de clase al año siguiente.

Todo apuntaba a que el adolescente había entrado en un estado emocional melancólico. La falta de adaptación a la ciudad y al instituto actuó como desencadenante: en vez de ilusionarse con lo que le ofrecían este nuevo entorno y el nuevo centro educativo, Toni había provocado una reacción contra sí mismo.

La tristeza, como la ansiedad, es un comportamiento que empleamos para afrontar situaciones que consideramos potencialmente desagradables o peligrosas.

El adolescente que cae en este tipo de estados emocionales acostumbra a permanecer en ellos poco tiempo. El riesgo es que estas conductas se dilaten y el joven entre en un bucle de consecuencias imprevisibles.

¿QUÉ MANTIENE LA TRISTEZA?

Toni evidenciaba comportamientos cuando tenía que ir al instituto como: inapetencia, desgana, dificultades para conciliar el sueño, flojedad, aislamiento, etc. De repente cualquier actividad le costaba un mundo llevarla a cabo, aun las pequeñas cosas cotidianas suponían un gran esfuerzo.

Cuando los comportamientos, anteriormente mencionados, se instalan en el repertorio conductual del adolescente, nos ubicamos en la **antesala de la depresión.** Lo que determinará la duración y magnitud de la situación será la manera en que el adolescente afronte el problema.

Si el adolescente comienza a desarrollar un ciclo obsesivo, agobiándose por lo que le está pasando, sólo conseguirá que su estado emocional decaído aumente y se instale de manera más potente en su vida.

En vez de iniciar conductas tendentes a solventar su problema, en muchas ocasiones el joven lo que hace es avivar el sentimiento de tristeza generando pensamientos de impotencia ante su situación.

Se retroalimenta, de esta manera, el círculo vicioso de la emoción, incapacitando a la persona para hacer algo que realmente le ayude a salir de ella. No importa cuál haya sido el detonante. Pudo ser el cambio de ciudad, de amigos o las dos cosas, lo importante es cómo vivió e interiorizó la situación.

Al sentirse incapacitado para manejar su problema de manera positiva, el adolescente puede iniciar un **proceso autodestructivo,** obsesionándose con la imagen de los profesores y compañeros observándolo. En las siguientes semanas la imagen no sale de la cabeza, sus pensamientos son reiterativos, machacones, y, lo que es peor, puede emprender un proceso de desmotivación, agotamiento y falta de energía con un final incierto.

¿CÓMO PUEDEN AYUDAR LOS PADRES?

La tendencia natural de un adolescente en estado melancólico es encerrarse en sí mismo. Por mucho que intente hablar y que le responda a sus preguntas, el muro puede ser muy alto, y lo único que logrará es que su hijo tome distancia. ¿Cómo proceder entonces?

Busque una o varias distracciones. La tristeza se mantiene porque existen pensamientos negativos que vienen de forma automática a la mente. Actividades como ver una película, leer un libro o asistir a un acontecimiento deportivo, minimizan la aparición de pensamientos negativos. Otras medidas a tomar pueden ser:

- **Ejercicio físico.** La actividad física es la gran enemiga de la tristeza; la razón es que la activación fisiológica del ejercicio eleva el tono corporal. Debe elegirse un deporte que agrade al adolescente. Un error común de algunos padres es retirar a sus hijos del equipo de fútbol o gimnasia por malos resultados escolares. Esta decisión raramente consigue sus objetivos y el muchacho, cabreado, empeora todavía más.
- **Actividades reforzantes.** Sabemos que a los adolescentes aquejados de melancolía realizar cualquier trabajo les supone un gran esfuerzo, razón por la cual es conveniente proporcionarles actividades sencillas que puedan llevar a cabo con éxito. Pequeños arreglos domésticos, como reparar un grifo o pintar una habitación, pueden ayudar a generar sentimientos positivos con respecto a sí mismo.
- **Ayudar a otros.** La posibilidad de aportar valor a los demás es una manera de encontrarse bien consigo mismo. Participar en un movimiento no gubernamental, por ejemplo, haciendo cosas por los más desfavorecidos o necesitados,

ayuda al adolescente a olvidar sus propios problemas. El comprobar la situación extrema de otras personas contribuye a relativizar los problemas propios.

- **Ver las cosas desde otra perspectiva.** Se trata de hacer un ejercicio mental en positivo sobre lo que está sucediendo. Si el adolescente piensa que el problema es que los chicos del nuevo instituto son menos solidarios, entonces nos centramos en las características positivas que tienen; por ejemplo, les gusta la música y tienen un grupo, por la tarde se reúnen todos juntos en el parque para jugar, cooperan organizando rifas para el festival de fin de curso, etc.

De una u otra manera, los padres pueden influir en el estado emocional de su hijo. Nunca le reproche cómo está: no es su culpa ni la de usted. Busque la manera de ayudarlo, y si una cosa no funciona, pase a otra.

Si la tristeza persiste y no reacciona ante ningún estímulo, busque ayuda profesional; cuando la depresión es tratada a tiempo, los resultados son excelentes.

Regla número **9**

Averigüe si tiene un problema de atención

Sebastián estaba ante mí con los ojos como platos; no sabía muy bien a qué había venido pero se percibía que tenía curiosidad por conocer lo que iba a pasar. Durante un buen rato estuvimos charlando, y me contó que lo que realmente le gustaba era arreglar motos; aún no tenía edad para conducirlas, sólo tenía 14 años, pero lo suyo era pasión por las máquinas de dos ruedas.

En el instituto Sebastián **estaba fracasando** en todas las materias, había repetido primero de la ESO y estaba a punto de hacer lo propio con segundo. El chico admitía que no le gustaba estudiar, se aburría en las clases y lo único que deseaba es que terminaran para ir a su pequeño taller.

Años antes había sido diagnosticado de «trastorno por déficit de atención (TDA)». Sin embargo, el adolescente era capaz de pasarse horas arreglando una moto sin despegar los párpados. Obviamente, si tenía TDA, éste no le afectaba a la hora de desempeñar según qué actividades. ¿Qué le pasaba a Sebastián entonces?

Cuando indagué en su vida personal, encontré que el chico había pasado por momentos muy delicados emocionalmente: con ocho años sufrió insultos y vejaciones en su colegio, especialmente por parte de dos chicos mayores. Los padres hablaron con los maestros intentando resolver el problema, pero al final nadie había hecho nada y el chico tuvo que seguir en el centro educativo a la espera del final de curso.

CUANDO LAS EMOCIONES ENTORPECEN LA ATENCIÓN

Los profesores son conscientes de que cuando un adolescente tiene las emociones descontroladas la mente se ralentiza e incluso llega a paralizarse de tal modo que se hace muy complicado el aprendizaje. Sebastián se hallaba preso de sus emociones, y solamente cuando estaba en su taller a solas y arreglando las motos conseguía concentrarse.

La actividad académica evocaba en el chico su etapa en el colegio de primaria, así que lo único que deseaba era desaparecer y encerrarse consigo mismo. En este estado, cualquier empeño en atender a otro asunto está condenado al fracaso.

En el momento en que nuestro estado emocional compromete la concentración, se dificulta el funcionamiento de nuestra memoria a corto plazo.

La parte de nuestro cerebro encargada de poner en funcionamiento la memoria de trabajo es el córtex prefrontal, justamente donde confluyen razón y emociones. De ahí la incapacidad de Sebastián de pensar o meditar con lucidez.

En estos casos, cualquier actividad intelectual como atender a una explicación o simplemente leer un texto se ve seriamente afectada. La memoria a corto plazo nos permite retener unidades de información para poder procesarlas adecuadamente, pero si está ocupada porque la persona sufre un choque emocional, entonces no trabaja para otra cosa.

MOTIVAR PARA CAMBIAR LAS EMOCIONES

Así como las emociones negativas entorpecen el rendimiento escolar, las positivas lo elevan. Los sentimientos de confianza y satisfacción con uno mismo posibilitan la realización de tareas complejas. Imagínese que el chico es capaz de visualizar que es mecánico de Marc Márquez, el campeón mundial de motociclismo: seguramente cuando inicie una tarea de aprendizaje lo hará en el convencimiento de que su resolución facilitará la consecución de ese objetivo.

Cuando el adolescente se enfrenta a una tarea escolar, ha de creer que el esfuerzo realizado persigue una finalidad.

Es imprescindible que esa finalidad se visualice; si simplemente le decimos «estudia, que cuando seas mayor serás alguien», no verá qué le espera; sin embargo, si le decimos que va a ser mecánico en el mundial de motos, podrá vivirlo como propio.

Las adolescentes de la natación sincronizada españolas que lograron la medalla olímpica en Pekín trabajaron desde muy pequeñas durante muchas horas para lograr el objetivo de subirse al podio. Solamente se explica su duro esfuerzo a través del entusiasmo que día a día volcaban en sus entrenamientos, entusiasmo que les hacía continuar a pesar del dolor y las renuncias obligadas. La posibilidad de verse con una medalla al cuello les hacía superar cuantas dificultades se presentasen.

Si creemos en algo, no pararemos hasta conseguirlo, da igual las circunstancias, da igual el tiempo.

Sebastián necesitaba creer que podía conseguir sus objetivos y que tenía que trabajar para ello; solamente así podría, algún día, sentarse al lado del campeón de moto GP Marc Márquez. Si conseguía motivarse, desaparecerían sus emociones negativas y su mente se desbloquearía.

¿EL DÉFICIT DE ATENCIÓN ES EL SÍNTOMA O LA CAUSA?

De pequeño mi abuelo solía decirme: «no te creas todo lo que ves», y ciertamente tardé muchos años en dar sentido a esa sabia frase. Los problemas de concentración en los niños y adolescentes son fácilmente visibles: los chicos se despistan, cambian de actividad con frecuencia, no se les queda lo que les explican, se levantan continuamente del sitio, etc. Al visualizarse, podemos caer en el error de **confundir el comportamiento inadecuado con un trastorno de la atención.**

Si nos centramos en lo que vemos, podemos perder la perspectiva; vamos, que los árboles pueden escondernos el bosque. Muchos adolescentes son incapaces de concentrarse en las tareas académicas por estar emocionalmente alterados, de manera que da la impresión de que tienen un déficit en los procesos atencionales; sin embargo, son sus emociones las que le impiden centrar la atención.

Sebastián mostraba un comportamiento pasivo en clase, lo que hacía que los profesores apenas reparasen en él. Cuando eran llamados los padres para hablar de la situación del chico, se trataban asuntos académicos fundamentalmente.

En la mayoría de los casos, sin embargo, los adolescentes que presentan dificultades en el aula suelen tener asociadas conductas disruptivas. Este tipo de conductas se caracterizan por una inquietud generalizada del alumno que le lleva a poner en práctica comportamientos rechazados socialmente, como por ejemplo levantarse continuamente, molestar a los compañeros, canturrear, golpear objetos reiteradamente, actuar de manera impulsiva, llamar continuamente la atención del profesor u otros alumnos, etc.

La razón de los comportamientos antes mencionados tiene mucho que ver con la incapacidad por seguir el ritmo de las explicaciones del profesor. Aburridos y desganados, los chicos dan rienda suelta a lo primero que les viene a la cabeza y reinician las conductas inapropiadas. La consecuencia habitual es la expulsión de clase, y en casos más graves o cuando existe reiteración, la expulsión durante varios días del instituto.

DÉFICIT DE ATENCIÓN CON HIPERACTIVIDAD (TDAH)

El problema atencional puede ir asociado con hiperactividad; es el conocido como trastorno por déficit de atención con hiperactividad (TDAH). Esta categoría clínica se ha puesto de moda en los últimos años y se cuentan por miles los alumnos etiquetados con estas siglas.

Hasta hace bien poco (mayo 2013) un niño podía ser diagnosticado como TDAH solamente si aparecían los síntomas antes de los 7 años de edad; sin embargo, a partir de esa fecha, el nuevo Manual Diagnóstico y Estadístico de los Trastornos Mentales, conocido como DSM-V, amplía la edad de aparición de los síntomas del trastorno hasta los 12 años.

La mayoría de los conocidos popularmente como «niños hiperactivos» están siendo tratados farmacológicamente. No seré yo quien ponga en duda la necesidad de actuar así; ahora bien, las familias deben tener en cuenta el tipo de medicación que es empleada para el tratamiento del problema.

Aunque con distintos nombres comerciales, el principio activo de la medicación usada para el tratamiento del TDAH es el metilfedinato (MFD). Se trata de un medicamento estimulante de estructura similar a la anfetamina e incluido en la categoría de psicotrópicos que actúa directamente sobre el sistema nervioso central.

La propia Agencia Española del Medicamento y Productos Sanitarios (AEMPS) se vio obligada a regular la intervención, control y vigilancia de estupefacientes y psicotrópicos ante lo que ellos mismos consideran un riesgo: «La potencial peligrosidad a la que puede conducir el abuso de las sustancias estupefacientes y psicotrópicas, la imposibilidad de prescindir de las mismas para usos terapéuticos y científicos, así como la preocupación por la magnitud y la tendencia creciente de la producción, la demanda y el tráfico ilícito de estas sustancias, hacen necesaria una especial actuación de cada Estado…»[1].

El caso es que el consumo de metilfedinato se ha disparado en los últimos años y las farmacéuticas están que dan palmas con las orejas. Al ser una sustancia que opera directamente sobre el sistema nervioso central, como ya apuntamos, nadie es capaz de prede-

---

[1] http://www.aemps.gob.es/medicamentosUsoHumano/estupefacientesPsicotropos/home.htm.

cir con suficiente exactitud cuál o cuáles serán los efectos a largo plazo.

Por ello es aconsejable que, antes de proceder a tomar decisiones irreversibles, tenga claro si está ante un problema de salud o son otras las causas que provocan la falta de atención y el comportamiento de su hijo.

CONVIENE NO CONFUNDIR TIMIDEZ O REBELDÍA CON ENFERMEDAD O TRASTORNO MENTAL

Veo todos los días pequeños actos de rebeldía en alumnos de la ESO que habitualmente se concretan en miradas, retos y gestos desafiantes. La cosa no suele pasar de ahí, y una dosis de diálogo y un poco de firmeza acaban por conseguir que el chico baje la cabeza. Muy raramente, a lo largo de mi carrera profesional, he tenido la ocasión de toparme con alumnos realmente difíciles e impermeables a cualquier razón.

La rebeldía es algo natural a estas edades, aunque no por natural deja de sorprender a los sufridos padres cuando se presenta.

Al fracasar en la escuela, podemos tener la tentación de atribuir estos comportamientos a problemas de atención o hiperactividad, pero a poco que escarbemos, nos podemos encontrar con una situación emocional desequilibrada. Mientras no abordemos los problemas del adolescente, difícilmente la situación mejorará.

Al concentrarse en el síntoma «déficit de atención», nos olvidamos de la causa «problema emocional». Evidentemente no todas las dificultades de atención derivan de una situación emocional desbordada, pero la experiencia me dice que esto ocurre con más frecuencia de lo que pensamos.

Si los profesores detectan dificultades en la atención de su hijo adolescente, es el momento de revisar que ha pasado o está pasando en el entorno del chico. Una separación, un conflicto con los amigos, la posibilidad de que sea acosado, tener una imagen distorsionada de sí mismo u otras pueden ser la causa de un deterioro emocional que impida al chico centrarse en sus tareas.

Regla número **10**

Indague qué le interesa

Hace algunos años cambié de domicilio. Si alguna vez han hecho una mudanza, sabrán lo dura que es. Cuando vacías una casa, suelen aparecer muchos objetos que llevaban años en el olvido. En mi casa me encontré con unos viejos discos de vinilo de mi época gloriosa. Pensé en regalarlos, pero ¿a quién?

Recordaba que había pasado, en alguna ocasión, cerca de un local perdido entre callejuelas en el que se vendían discos y libros de segunda mano, así que me animé, le propuse a mi hija que me acompañase y visité la tienda.

El establecimiento estaba especializado en superhéroes, y tenían muchos cómics, juegos de todo tipo, ropa gótica y sobre todo mucha música. Había varios estantes dedicados al trasnochado vinilo. El encargado de la tienda era un chico joven, de unos 25 años, de aspecto tenebroso, vestido de riguroso color negro y peinado con una cresta. La primera impresión casi me obliga a dar media vuelta, pero decidí quedarme y ver qué pasaba.

Al rato me dirigí al muchacho del lado oscuro, le enseñé mis antiguallas y le dije si tenían algún valor para él. Por la manera de coger los discos me di cuenta de que para esta persona lo que tenía en sus manos era algo especial. Con delicadeza los sacó de su funda y comprobó si estaban rayados, cosa que ocurrió en dos casos. Se interesó especialmente en un vinilo de Los Beatles que al parecer había sido editado en Alemania.

Mientras estudiaba con detenimiento el material, me fijé en unas espadas que estaban cerca. Le pregunté qué tipo de espadas eran y entonces empezó a hablarme con entusiasmo. Al parecer se trataba de espadas antiguas empleadas en la guerra; me explicó que participaba en torneos de esgrima medieval. Con todo lujo de detalles estuvo hablando de los torneos medievales y de su historia. Había pasado media hora y estaba absorto escuchándolo.

Me compró todos los discos, incluso aquellos que no se encontraban en buenas condiciones, y le regaló a mi hija un juego. Yo **simplemente me había interesado por lo que a él le interesaba.** Su actitud cambió por completo.

LOS INTERESES EN LA ADOLESCENCIA

Los intereses que puede tener su hijo son muy variados. Podemos hablar de cuatro grandes áreas de interés: académicos, socioemocionales, físicos y familiares.

A los 12 años el chico abandona la educación primaria para iniciar una nueva etapa en el instituto. Los cambios serán muy importantes. De inicio se encontrará un entorno desconocido, y pasará de ser el mayor de la escuela a convertirse en el benjamín del instituto. Ahora ya no tiene un profesor de referencia, sino cada hora uno distinto y una asignatura diferente. En definitiva, horarios, profesores y compañeros cambian. Adaptarse no será una tarea fácil.

El día a día escolar puede ser muy pesado; la monotonía, los deberes y la rutina en una edad de grandes cambios biológicos terminan por agotar a cualquiera. Es el momento de animar, sin sermones, reforzando los logros del chico por pequeños que sean.

Conviene centrar la atención en la tarea que están llevando a cabo y no en la trascendencia de ésta. Frases del tipo «si no te esfuerzas no llegarás a nada de mayor» repercuten negativamente en su rendimiento al poner en el mismo plano persona y tarea; de esta manera, si fracasan en la realización de alguna actividad, sentirán que son un fracaso como personas.

Si queremos que se interesen por lo que están estudiando, debemos hacer hincapié en lo que saben y no en lo que ignoran.

La lectura es la pieza clave de todo el entramado académico. La comprensión lectora facilita el acceso a cualquier aprendizaje, sea social, matemático o lingüístico. Ha de estimulárseles la actividad lectora desde muy pequeños, primero con lectura de imágenes y posteriormente con textos adaptados a cada edad. Es muy recomendable acotar un tiempo diario para leer con nuestro hijo, interesándonos por las historias que nos cuenta. Una pequeña biblioteca en casa nos facilitará la labor.

ADOLESCENTES DISTINTOS, INTERESES DIFERENTES

De pequeños los niños realizan las tareas escolares sin protestar, pero al llegar la adolescencia la imposición acostumbra a ser contestada con rebeldía. Para evitar enfrentamientos, cuya eficacia es nula, debemos interesarnos por las dificultades que encuentra el chico en el estudio. En algunas ocasiones simplemente es cansancio, en otras la materia resulta compleja. Sea como fuere, ha de ser el chico quien nos señale el problema, y nuestro rol será facilitar la solución, aunque desafortunadamente suele pasar al revés. Con frases del tipo «eres un vago», «ya te lo advertí» o «no te centras» no aportamos soluciones y mucho menos investigamos la causa del fracaso.

Tenemos interés por las cosas cuando nos vemos capaces de enfrentarnos a ellas. Si su hijo siente que no es capaz de hacer un examen o acabar un trabajo, probablemente se rinda sin haberlo intentado. Si el chico se acomoda a los reveses, fracasará; por el contrario, si se acostumbra a los logros, tendrá éxito. Recuerde, si quiere que su hijo se interese por los estudios, **reconózcale cada pequeño logro que consiga, acostúmbrele al éxito.**

Vivimos un momento de profundo cambio social. La globalización e internet han entrado de lleno en nuestra existencia. El mundo virtual ofrece nuevas e interesantes posibilidades, a la vez que modernos peligros; las redes sociales han revolucionado el modo de entender la comunicación entre las personas. Para los padres, criados en el mundo analógico, supone un gran reto armonizar las nuevas formas con las antiguas.

Si usted observa que su hijo pasa mucho tiempo enredado en el entramado tecnológico, es el momento de averiguar si sus intereses sociales son mayormente virtuales que reales. Las relaciones personales no existen en el mundo virtual; el chico puede quedar con sus amigos, compartir información o bajarse música, pero lo que no es posible es establecer vínculos genuinos con otras personas. La palabra no puede sustituirse por el chat, el nombre por el nick o la cara por un emoticono.

LA IMAGEN PERSONAL

Uno de los intereses básicos en la adolescencia es la imagen corporal. En estas edades preocupa, y mucho, a los chicos y chicas cómo les vean los demás y cómo se ven a sí mismos.

Los continuos y drásticos cambios físicos en el cuerpo son fuente de inquietud constante. El espejo pasa a ser el objeto más preciado; ahora bien, lo que refleja el espejo es algo más que simplemente una imagen. Si el chico o la chica tienen una imagen negativa de sí mismos, el espejo puede ser un potro de tortura.

¿Qué ven los adolescentes en el espejo? La respuesta parece una obviedad: ven su cuerpo. Sin embargo, no es tan sencillo. **Lo que ve el adolescente en el espejo está directamente relacionado con la imagen que se ha creado de sí mismo;** se trata de una autopercepción y, por lo tanto, es algo subjetivo.

Por decirlo de algún modo, el adolescente percibe una doble imagen: por una parte la física, derivada del reflejo del espejo, y por otra parte lo que piensa de lo que está viendo. Las creencias, lo que los demás opinan de él, las informaciones que lee y escucha, etc., condicionan y, en ocasiones, deforman la imagen real.

Imagen personal y autoestima van de la mano. Los adolescentes con autoestima baja, cuando se miran en el espejo, se ven mal, se perciben imperfectos y tienden a exagerar los defectos. Por el contrario, los adolescentes con alta autoestima se ven bien, minimizan los defectos y están a gusto con su reflejo.

La ropa y abalorios que usan los adolescentes tienen poco que ver, contrariamente a la creencia generalizada, con su imagen personal. Son más bien maneras de integrase y ser aceptados por su grupo social de referencia. Emplear, por ejemplo, ropa ajustada o floja está en consonancia con los gustos y preferencias de su grupo. El chico o la chica se verán bien si la ropa se ajusta a los cánones establecidos por el grupo y se verán mal si no lo hace.

Por lo tanto, lo importante no es tanto lo que se pongan para vestir como el nivel de autoestima y aceptación dentro del clan.

Usted debe conocer cuáles son los intereses sociales de su hijo y cómo está viviendo la socialización dentro del grupo de iguales. Si el grupo lo acepta y respeta, probablemente su autoestima esté dentro de la normalidad y su hijo no tenga percepciones deformadas sobre su cuerpo e imagen. Si por el contrario el grupo no lo acepta ni respeta, es muy posible que esto se vea reflejado en su imagen personal, deteriorándola y socavando su autoestima.

Autoestima social y autoestima emocional van muy unidas en la adolescencia. La imagen personal acostumbra a ser un buen indicador de ellas.

Guíe, pero no critique, su forma de vestir o su grupo de amigos. Hacerlo sólo le traerá problemas y generará a su hijo inseguridades. Tampoco les apoye con vehemencia, no se pase de vueltas.

Regla número 11
Practique la escucha activa

Oír y escuchar son procesos distintos: el oyente capta la información de modo pasivo, el escuchante lo hace de modo activo. Veamos un ejemplo: usted está viendo un debate en el televisor de su casa sobre educación, dado que tiene un hijo en edad escolar y le interesa el tema. Está pendiente de lo que dicen los expertos, de su exposición y argumentos. Presta atención y trata de verificar en qué medida pueden afectar los cambios al futuro del chico. En esos instantes está usted en modo activo.

De repente se produce un corte publicitario. En ese momento usted desconecta, su atención se diluye, su mente se relaja. La publicidad comienza a actuar: con la mente racional apagada, se estimula la actividad de su hemisferio cerebral derecho, el de las emociones, el color o la imaginación.

Acaba usted de entrar en modo pasivo y los mensajes publicitarios se introducen en su mente.

Escuchar requiere un esfuerzo superior al de hablar. Seguramente por eso preferimos hablar a escuchar. La escucha no es un proceso automático, contrariamente a la creencia general. Se precisa un grado mayor de concentración para poder captar el mensaje que para emitirlo. Pero no queda ahí.

No basta con escuchar para conseguir una comunicación eficaz, además es necesario que la escucha sea activa. **Cuando escuchamos activamente, nos ponemos en la piel del otro.** No prestamos atención solamente a lo que dice nuestro interlocutor sino también a los sentimientos, emociones e ideas que subyacen en su discurso.

Ponernos en el lugar del otro, empatizar: ésa es la cuestión. Muy pocas personas tienen esa habilidad desarrollada plenamente. Las personas empáticas consiguen que su interlocutor se encuentre cómodo hablando. Cuando nos encontramos ante alguien que nos escucha, nos sentimos a gusto, su compañía nos es grata, y estamos deseando compartir nuestra charla.

Adquirir las habilidades necesarias para ser un buen escuchante es fácil. Siga las siguientes normas y conseguirá que su hijo le preste atención.

NO INTERRUMPA A SU HIJO CUANDO HABLA

El éxito social se debe, en buena parte, a la capacidad de escucha. Hay personas que tienen incorporada a su repertorio conductual esta habilidad. Si usted quiere entender a su hijo, ha de empezar por poner en valor este factor.

Aunque semánticamente sean similares, **simpatía y empatía no son lo mismo.** Las personas simpáticas usan palabras agradables,

nos dicen lo que queremos escuchar, nos endulzan el oído y nos sonríen continuamente; en definitiva, nos intentan seducir. Las personas empáticas, por el contrario, escuchan activamente. En el primer caso están preocupadas por el «parecer»; en el segundo su preocupación es «el ser».

Si desea prestar atención a su hijo, no debe interrumpirlo cuando habla. Es frecuente que cuando los muchachos comienzan a contar algo, inmediatamente los cortemos. Nos adelantamos a lo que quieren decir y de esa manera evitamos que fluya su pensamiento. Seguramente nos hacen mucho daño esas tertulias televisivas en las cuales continuamente unos se pisan la palabra a los otros: no les haga caso.

Tome buenos ejemplos y aprenda a ser paciente en la escucha. Deje que su hijo hable y diga todo lo quiera decir, no se apresure, no le corte la palabra. Si su hijo les cuenta, con pelos y señales, el partido que jugó en el instituto, interrúmpale sólo para que le detalle lo que está contando. Cuando hablamos de lo que nos gusta, somos como un torrente de agua, las palabras salen solas y disfrutamos de la conversación.

Si algo molesta sobremanera a un adolescente es que le interrumpan cuando está contando algo. El adulto suele creerse en posesión de la verdad y por eso no deja acabar el parlamento del joven. La consecuencia será que cada vez el chico nos contará menos cosas en la seguridad de que no le dejaremos acabar de contarlas.

Muérdase la lengua, limítese a escuchar con atención hasta que su hijo acabe. Aunque escuche la mayor de las burradas, no interrumpa, ya tendrá tiempo de intervenir usted.

NO JUZGUE

Otro aspecto que debe evitar es juzgar. En el momento en que el chico cuenta algo, espera que se le escuche, que usted se interese por lo que está diciendo, no que le valore.

Nuestra tendencia a someter a juicios de valor todo lo que escuchamos puede ser muy perniciosa.

Sentado en el sofá de casa con mi hija, empezó a contarme que las chicas de su edad usaban maquillaje. El tema podía tener cierta trascendencia, así que opté por escuchar lo que me contaba. Cuando acabó su exposición, le pregunté: «¿A ti que te parece?». «No sé —me respondió—, pero quizá la piel se resienta con los años.» Le dije que no sabía si tendría ese efecto, pero que su piel era perfecta y que estaba muy guapa.

Si no me hubiera contenido y hubiera juzgado peyorativamente a las chicas que se maquillan con 15 años, es seguro que la próxima vez se cuidaría de contarme más cosas.

A veces su hijo le contará cosas simplemente para ver la cara que usted pone: es una estrategia que seguramente ha copiado de los adultos. La intención es conocer cómo actuará en una situación similar, llegado el caso.

Un ejemplo: el chico comienza a contarle que varios de sus compañeros de clase han ido el fin de semana a hacer senderismo. Su hijo no tiene intención alguna de pasearse entre árboles y musgo, pero desea saber qué le parece a usted, cómo lo valora. Si su reacción es negativa y usted juzga ese comportamiento con frases del tipo «¡con el frío que hace!», «¡para perderse en tierra de nadie!», «¡mira que no hay cosas que hacer sin perder el tiempo de esa manera!», sabrá que lo tiene difícil para salir con sus amigos un fin de semana. Por el contrario, si lo juzga positivamente —«¡es estupendo, un fin de semana en la naturaleza!», «¡buena idea, así se aprende a sobrevivir!», «¡yo recuerdo una vez que fuimos todos los de clase!»—, sabrá que cuando pida salir de fin de semana con sus amigos lo tendrá más fácil.

Para que no tenga que escuchar algo parecido a «¿recuerdas que habías dicho lo bueno que era…?» y por lo tanto le pongan en un compromiso, lo recomendable es que se abstenga de juzgar positiva o negativamente las cosas. Deje que su hijo le cuente lo que le parezca, anímele a que le detalle las anécdotas, pero no opine a no ser que directamente su hijo le pida que lo haga.

Al opinar estamos juzgando, aunque lo hacemos tan a menudo que apenas somos conscientes de ello. **La mayoría de las veces que nos cuentan algo la tentación es a dar nuestra opinión sobre lo que nos están contando.** Todo va bien si nuestra opinión corrobora la de nuestro interlocutor, pero si no es así, si nuestra opinión es contraria, entonces o bien se corta la conversación, o bien se inicia una discusión o simplemente no se vuelve a tocar el tema en el futuro.

No se deje confundir por algunos programas de televisión en los que todo el mundo opina, pisándose la palabra unos a otros; son simplemente un espectáculo, un *show* que busca acrecentar la audiencia. La finalidad es entretener, no enseñar.

Si desea que su hijo cuente lo que piensa, no juzgue, limítese a escuchar. Insisto: manifieste su opinión sólo cuando se la pida.

NO SE PRECIPITE A DAR SOLUCIONES

La escucha activa implica también esperar y no adelantarse a dar soluciones. Es un error común interrumpir cuando otra persona está hablando, tal y como mencionamos anteriormente. El error es aún mayor cuando la interrupción se hace para ofrecer ayuda inmediata o solucionar el supuesto problema.

Conocía a una persona que se quejaba amargamente de que su marido nunca la escuchaba. Me comentaba que cada vez que le contaba sus angustias, su marido buscaba una solución para acabar con su pena. Frustrada, me decía: «Yo no quiero que me solucione nada, sólo quiero que me escuche, ¿es mucho pedir?».

A menudo las personas cuentan sus planes, penas, anhelos, etc., no para que les indiquemos el camino a seguir, sino simplemente para que les escuchemos y de esa manera poder desahogarse. Si desean consejo, lo piden directamente.

Uno de los programas radiofónicos más veteranos de este país, *Hablar por hablar,* nos da una lección en este tema. Se emite en la cadena SER todas las noches de lunes a viernes en horario nocturno. Son muchas las personas que llaman pidiendo consejo, o eso parece.

En realidad la mayor parte de las personas que entran en antena cada noche lo hace para contar su situación personal, sus miedos, sus angustias, etc. Son pocas las que buscan una solución a sus problemas en las ondas. Tienen claro que la solución está en ellos, pero llaman para poder hablar con alguien, sin más.

La periodista que conduce el programa no interrumpe, ni juzga, se limita a escuchar y se mantiene en silencio durante la exposición de los protagonistas. Sólo al acabar su intervención, la periodista se dirige a los oyentes por si quieren responder a la llamada.

Mejor que dar soluciones es sugerirlas. Si usted realmente quiere que su hijo siga sus indicaciones, no se precipite a dar soluciones a los problemas, es preferible guiar en la búsqueda del remedio. Deje que su hijo discurra cómo afrontar las situaciones complejas, pues eso le entrenará en el difícil arte de vivir. Ayúdele cuando lo necesite, pero no tanto que le convierta en un inútil.

Al acostumbrar a los adolescentes a que los problemas los resuelvan otros, ¿qué cree que pasará cuando estén solos, sin nadie a quien recurrir?

ENTRÉNESE EN EL ARTE DE ESTAR EN SILENCIO

Si quiere practicar la escucha activa con su hijo, juegue con los silencios. Recuerde la célebre frase «uno es dueño de sus silencios y esclavo de sus palabras». No se adelante: puede que el chico quiera simplemente pasar un buen rato de charla, así que deje que se exprese.

Todos en alguna ocasión nos hemos topado en la calle con una persona que ha aprovechado que nos parábamos para contarnos mil y una penas. ¿Les suenan frases como «venga, hombre, seguro que no es nada», «no tiene importancia, verás cómo se soluciona», «saldrás de ésta», etc.?

El objetivo de estas afirmaciones no es otro que librarnos de nuestro molesto interlocutor; al fin y al cabo nos esperan en casa o en el trabajo y tenemos un día muy ocupado. Se trata de minimizar el problema, pues al actuar así evitamos entrar en el fondo del asunto. Una palmadita en la espalda, una frase aprendida y cada mochuelo a su olivo.

Estos recursos son muy útiles en las interacciones sociales superficiales, pero pueden ser demoledores cuando el que nos cuenta la batallita es nuestro hijo. Por muy infantil o pequeño que nos parezca el asunto que nos cuenta el chico, es su asunto. Lo que al adulto le puede parecer algo menor puede ser para el muchacho algo que no le deje dormir por las noches, lo angustie y lo tenga en permanente tensión.

Jugar con los silencios no implica estar callado, va más allá. El mejor ejemplo que se puede ofrecer de manejo de los silencios lo tenemos en un personaje radiofónico, «El loco de la colina». Para aquellos que no le conozcan, Jesús Quintero, conocido como «El loco de la colina», ha teñido sus programas de entrevistas en la radio de un sabor especial muy intimista. El loco pregunta, arrastra las frases con sutil delicadeza y luego, mirando fijamente a su entrevistado, espera y saborea la respuesta. Entre pregunta y pregunta deja el espacio suficiente para que las respuestas puedan ser interiorizadas por los oyentes. Jesús Quintero tiene una productora denominada «El silencio», así que sobran los comentarios.

Quintero ha inventado, sin proponérselo seguramente, el silencio activo. Sus silencios no cortan, no asustan, no intimidan; al contrario, estimulan el pensamiento, la creatividad, impulsan a la persona a rebuscar en su interior. Es el maestro del silencio.

Al permanecer en silencio activo durante el diálogo, provocamos que nuestro interlocutor continúe la charla. Lejos de ser incómodo, bien utilizado, el silencio nos seduce y nos anima a seguir hablando.

Con un tono de voz suave y un manejo diestro del silencio, usted puede llegar a los más íntimo y personal de su hijo. En ocasiones esta herramienta puede ser la única posibilidad de averiguar cuáles son los miedos o aquello que preocupa al adolescente. No subestime el silencio, recuerde la frase de Groucho Marx: «Es mejor estar callado y parecer tonto que hablar y despejar todas las dudas».

En el próximo capítulo profundizaremos en algunas aplicaciones de la escucha activa.

Regla número **12**

Evite los sermones

Pongámonos en situación: su hijo lleva varios días «raro»; usted le prepara su comida favorita y ni por ésas, está melancólico, cabizbajo y meditabundo. ¿Qué le puede estar pasando?

Después de mucho insistir, el chico le cuenta que acaba de descubrir un nuevo grano en su frente. ¿Qué hacer en este caso, cómo reaccionar? La primera intención es darse la vuelta y echarse a reír, lo sé.

Entre la risa floja y minimizar el tema, existe un punto medio. Una frase del tipo «bah, no te preocupes, pasará con los años» lo puede hundir. ¿Cuántos años?, se preguntará, porque la chica que le gusta esperará como mucho unas semanas, eso si antes no sale la nueva versión del iPhone.

Si no quiere que los granos se multipliquen, no reste importancia a lo que su hijo siente.

LAS BATALLITAS DE PAPÁ

Una tendencia común es aprovechar que nos están contando una historia para contar la nuestra. Hemos asistido muchas veces a conversaciones de este tipo: «¿Cómo estás, Miguel? Bien, bueno, no tan bien, tengo un dolor de espalda que no me deja vivir, no consigo conciliar el sueño, me parece que la columna me va a estallar... No me digas, vaya, pues yo también estoy fastidiado, por la mañana comienza a dolerme la cabeza, dos ibuprofenos y ni así...».

Son conversaciones habituales, es natural que queramos hablar de nosotros mismos. Los seres humanos somos ególatras. Nada nos satisface más que vernos en el espejo. Alguien le enseña una foto en la que están un grupo de amigos: ¿A quién cree que buscará en primer lugar? Exacto: a usted mismo. Este interés por uno mismo puede hacer que la comunicación se deteriore.

Vamos a llevar el ejemplo anterior a las relaciones con los adolescentes. Es la hora de la comida y nuestro hijo nos habla de que en el instituto un compañero ha llevado un teléfono móvil de última generación. Nos habla entusiasmado y comienza a explicarnos con todo detalle las aplicaciones que acaba de descubrir.

En medio de la exposición intervenimos y sin solución de continuidad le contamos cómo nos comunicábamos hace 30 años. Durante un buen rato el chico nos escucha intentando entender cómo era posible vivir en el pleistoceno analógico. Al final acabamos hablando de nuestra historia.

La próxima vez nuestro hijo se pensará mejor si contarnos o no lo que le ha pasado durante el día so pena de despertar en nuestro inconsciente antiguas batallitas.

Recuerde: hay un tiempo para cada cosa. La escucha activa implica escucha hasta el final de un relato. Su hijo también tiene historias que contar, aunque a usted le parezcan de menor importancia.

SERMONES NO, GRACIAS

La experiencia es un grado. Pocos negamos esta afirmación. Con el paso de los años nos hacemos más diestros en el manejo de todo tipo de situaciones. Desafortunadamente nuestra sociedad olvida a los mayores, los relega a un segundo plano.

En el mundo de las imágenes de lo visual, lo viejo está mal visto. Pese a la conocida frase del diseñador Adolfo Domínguez «la arruga es bella», el modelo a seguir es una piel joven y estirada.

Sin embargo, experiencia y experto no son lo mismo. La experiencia es la acumulación de vivencias y conocimientos; el experto es el sumo sacerdote del saber. Transmitir experiencia es algo noble y muy aconsejable. **Autoerigirse en gurú del saber es de necios.**

Sea especialmente cuidadoso a la hora de hablar de su experiencia, pues hay una delgada línea entre aparecer como una persona sabia o resultar pedante. Constate lo que ha vivido, pero no afirme que es lo mejor.

Pensamos que la juventud, los políticos o la diversión de nuestra época eran mucho mejores que los jóvenes, los políticos o la diversión actuales. Craso error. Simplemente son distintos, y si no, recuerde qué decían sus padres o abuelos de su juventud, qué comentaban de los políticos de su época o cómo calificaban su forma de divertirse.

Al desacreditar, con nuestras peroratas, todo lo nuevo, intentamos quedar por encima del adolescente. «¡A lo de ahora le llamáis música: Loquillo, Hombres G, Alejandro Sanz, eso era música!» «¡No sabéis pasarlo bien; antes con unas pipas y un banco nos sobraba!» «¡Con tanto móvil y ordenador escribís fatal, ya os gustaría hacer la letra que se hacía antes!» ¿Le suena alguna de estas frases?

Este comportamiento no es recomendable por parte del adulto. Atropellado en su dignidad, el adolescente nos responderá con la misma moneda. «¡En qué caverna me habéis dicho que actúan vuestros vinilomúsicos!» «¡Qué pasa, que no ligabais y por eso os atracabais de pipas!» «¡Y yo que pensaba que las pinturas rupestres eran anteriores a la escritura!» Donde las dan, las toman.

Cuando nos dirijamos a nuestros hijos, hagámoslo como personas con experiencia. Seamos humildes. No pensemos que lo sabemos todo. Nuestras vivencias pueden ser de gran valor, pero si las subimos a un púlpito, pasarán a convertirse en sermones.

YO, YO Y DESPUÉS YO

En una encuesta realizada a teleoperadores, se constató que la palabra más utilizada era YO. Nos ponemos por delante, nos gustamos tanto que empleamos la primera persona del singular de manera masiva.

Al anteponer nuestro YO, intentamos reforzar el mensaje que queremos transmitir. Es una manera de recalcar que lo que decimos es verdad inmutable. Las personas que emplean con asiduidad la primera persona del singular lo hacen en el convencimiento de que están en posesión de la razón.

No obstante, si usted desea un diálogo franco y abierto con su hijo, ha de cuidarse de usar el YO exageradamente. Si no lo hace, aparecerá como una persona intransigente, dura y poco proclive a la escucha. Probablemente su hijo no reciba acertadamente el mensaje que trata de transmitirle y, en cambio, se quedará con su actitud inflexible.

En los diálogos con su hijo trate de no imponer su opinión; al iniciar conversaciones con el YO, parecerá que usted está en posesión de la verdad. Evite el uso indiscriminado del YO.

VALORE LOS LOGROS Y MINIMICE LOS FRACASOS

Skinner, psicólogo de la conducta, mostró la importancia de reforzar un comportamiento para que éste se repita. Basta con una aprobación o un elogio para que las personas realicen aquello que nosotros queremos. Cuando conversemos con nuestro hijo, no debemos olvidarlo.

La adolescencia es la edad de la inseguridad. En muchas ocasiones los chicos hablan de diversos temas simplemente para ver su reacción. Esperan de usted un gesto o una palabra de ánimo. Refuerce aquello que le parece positivo e ignore lo poco adecuado.

Si su hijo juega al tenis, por ejemplo, disfrute compitiendo con él. Apláudale cuando le pegue bien a la pelota y no lo corrija cuando lo haga mal; para eso está su profesor, usted es su padre. Valore sus esfuerzos, su gusto por el deporte, lo sano que es, etc. Centre los elogios en su capacidad de sacrificio y superación. Si no lo hace de esta manera, seguramente se quedará sin pareja de juego.

En estas edades son habituales los altibajos en los estudios. Se producen muchos cambios biológicos que restan energía y concentración. Cuando esto sucede, debemos proceder con cautela. Una costumbre poco recomendable es presionar al chico, pues sólo conseguiremos que aumente la tensión. Es más sano rebajar nuestro nivel de exigencia.

Frases como «si no estudias, no llegarás a nada de mayor», actúan como pesadas losas que su hijo no puede mover. Sermoneando no conseguirá nada; es cuando más necesita palabras de ánimo y ver que los esfuerzos que está haciendo son reconocidos. Céntrese en lo positivo, refuércelo.

Si quiere practicar la escucha activa con su hijo, recuerde: practique la empatía, deje que se exprese cuando hable, evite los juicios de valor, no se precipite en dar soluciones, ensaye los silencios, dé importancia a sus sentimientos, no sermonee, aplique la experiencia, relegue el uso del YO y elogie cada cosa que hace bien.

Regla número 13
Sea Pigmalión

¿Qué significa tener éxito en la vida? Para muchas personas el significado de la palabra «éxito» va asociado a la fama y /o el dinero. Contradictoriamente, tanto fama como dinero suelen aderezarse con sutiles connotaciones peyorativas. Quizá por eso en nuestra cultura, por razones que no vienen al caso, hay una tendencia a evitar el fracaso más que a buscar el éxito.

Una visión más amplia del concepto de éxito se vincula también a su consecución en otros entornos, como el personal o el social.

Generalmente las personas exitosas suelen gozar, amén de una relajada posición económica, de un fuerte prestigio social, tener una familia unida dispuesta a apoyarles y estar bien considerados en el campo laboral.

Por estas y otras razones me sorprendió el comentario que en cierta ocasión me hizo un buen amigo. Estábamos en la terraza de un restaurante departiendo animadamente cuando **me preguntó si había alguna manera de educar que facilitara el éxito en la vida.** Como pueden imaginarse, le respondí que de saberlo ya me habrían nombrado doctor honoris causa por Stanford y tendría mi casita en la playa de Malibú.

No obstante, su pregunta me hizo reflexionar sobre una cuestión poco habitual: la incidencia que tienen las expectativas de los padres sobre lo que lograrán sus hijos, o, dicho de otro modo: ¿Pueden los padres gestionar el manejo que hagan sus hijos del éxito y del fracaso?

No sólo los padres, también los vecinos, los amigos, los medios de comunicación, etc., condicionan nuestras expectativas.

Pondré un ejemplo muy de actualidad para que me entiendan: sabemos que existe en nuestro país una crisis económica profunda; pues bien, si una persona está buscando trabajo, pensará negativamente ante la expectativa de encontrarlo puesto que todos los días escucha y ve noticias adversas sobre el tema. Los mensajes negativos son muy superiores en número a los favorables, de modo que el individuo va cayendo en la desesperanza y la búsqueda de empleo puede llegar a convertirse en una tortura.

¿Y los adolescentes? Si una persona adulta con experiencia y con formación puede llegar a desesperarse, imagínese un adolescente. La adolescencia es una etapa de profunda inseguridad, y las opiniones de los demás tienen una mayor incidencia. Los jóvenes pueden «arrojar la toalla» con más facilidad al comprobar que los adultos son incapaces de resolver sus problemas.

EL EFECTO PIGMALIÓN

En pocas palabras, el efecto Pigmalión se refiere a cómo la creencia que tenemos sobre otra persona puede influir en el comportamiento o rendimiento de ésta. Si tenemos, por ejemplo, la creencia de que nuestro hijo es un «trasto», probablemente el chico se inclinará por ser desordenado, caótico y despistado.

Conocí el caso de tres amigas que fueron madres con una diferencia temporal de meses. Cuando las niñas cumplieron tres años, ya habían asumido el comportamiento esperado por las creencias de las madres.

Una de ellas era muy coqueta y le gustaba ir con vestidos de princesa; la segunda era un torbellino, no estaba quieta más de un minuto, y la tercera era organizadora, planificaba los juegos y estaba pendiente de todo y todos. Cuando las niñas apenas tenían un año de edad, las madres ya las habían catalogado de esta manera.

En educación el efecto Pigmalión ha sido descrito de manera magistral por dos investigadores californianos, R. Rosenthal y L. Jacobson. Estos autores llevaron a cabo un experimento que consistía en comprobar de qué manera las creencias de los profesores influían en el rendimiento de sus alumnos. Para ello los investigadores dijeron a los profesores que se había pasado un test de inteligencia a un grupo de escolares que arrojaba el resultado de que la mitad del grupo tenía un alto cociente intelectual y la otra mitad lo tenía normal o normal-bajo. Se esperaba que los chicos con mayor rendimiento en los test tuvieran también mayor rendimiento escolar, y así se comunicó a los maestros.

En realidad jamás se pasó el test de inteligencia a los alumnos, sino que fueron elegidos completamente al azar.

Los resultados de la experiencia, al finalizar el curso escolar, fueron demoledores. No sólo los alumnos que, supuestamente, eran más inteligentes consiguieron mejores resultados escolares que sus compañeros sino que aquellos alumnos supuestamente menos inteligentes habían tenido un rendimiento muy inferior al considerado normal. ¿Qué había pasado?

A través de las observaciones que R. Rosenthal y L. Jacobson habían realizado durante los meses que duró el experimento, constataron que los profesores habían generado altas expectativas sobre el grupo supuestamente más inteligente, siendo así que los alumnos recibieron mayores atenciones y más halagos y en general los docentes se mostraban más condescendientes con sus errores. Por el contrario, las bajas expectativas que tenían sobre los alumnos supuestamente menos inteligentes condujeron a los profesores a prestarles menos atención, minimizar sus logros y en general subestimar su capacidad de aprendizaje.

La confianza que los demás depositen en nosotros es clave para ayudarnos a conseguir los objetivos que nos proponemos.

Expectativas, confianza y la profecía autocumplida son los elementos sobre los que se asienta el efecto Pigmalión. Si un profesor o unos padres son capaces de transmitir expectativas positivas y generar la confianza necesaria en sus alumnos o hijos para alcanzar metas, entonces termina por cumplirse la profecía.

PIGMALIÓN EN LA ADOLESCENCIA

Durante la época adolescente la imagen que los demás proyectan sobre los chicos va a determinar la que los chicos tienen sobre sí mismos. Bien es verdad que esto funciona toda la vida, pero no es menos cierto que precisamente durante la adolescencia tanto las consecuencias como los efectos se multiplican.

La percepción que el adolescente tiene de sí mismo opera como un predictor de sus futuras relaciones personales, sociales y laborales.

Imaginemos a un chico de 16 años, como los miles que acuden diariamente a un centro de enseñanza, al que le gusta leer prensa económica. Se levanta preocupado por el índice del IBEX 35, comprueba el estado de las divisas y analiza los balances de alguna gran empresa. ¿Extraño comportamiento, verdad?

Ahora me gustaría hacerles una pregunta: **¿Qué creen que pensarán sus familiares y amigos?**

Probablemente su afición al turbulento mundo de las finanzas se verá aplacado o al contrario estimulado por el pensamiento de su entorno más cercano. Si los comentarios son positivos y recibe buenas vibraciones, es posible que en el futuro realice estudios económicos y acabe por colocarse en un banco o montar su propia empresa. Sin embargo, si lo que escucha son comentarios negativos del tipo «es muy difícil», «eso es para los hijos de los ricos», «no pierdas el tiempo en quimeras», etc., poco a poco se irá desanimando y abandonando sus ilusiones.

Lo corriente es que el chico de nuestra historia reciba más críticas que ánimos. **El temor a lo desconocido nos paraliza.** Sin embargo, si su entorno está familiarizado con los gustos del muchacho, es seguro que será estimulado a seguir profundizando en su estudio.

Muchas personas que han logrado cosas extraordinarias lo han hecho contra la opinión mayoritaria.

Sea como fuere, podemos afirmar la enorme importancia que van a tener, en el devenir del adolescente, las creencias y expectativas que los padres hayan generado sobre sus capacidades. La cuestión es sencilla: estimule sus fortalezas, aficiones y aspiraciones y, al mismo tiempo, ofrézcale ayuda cuando se desanime, acomode o sienta que no puede hacer algo.

CREER ES PODER

De pequeños nada nos detiene, nada nos produce miedo, somos capaces de cualquier cosa y no existe el miedo al fracaso. Cuenta sir Ken Robinson[1] en sus charlas que en cierta ocasión un profesor dijo a sus alumnos de preescolar que dibujaran lo que quisieran. Una de las niñas hizo un dibujo muy especial, así que el profesor le preguntó qué estaba dibujando y la pequeña le dijo que había dibujado a

_____
[1] http://www.youtube.com/watch?v=nPB-41q97zg.

Dios. Sorprendido, el profesor le dijo que nadie sabía cómo era Dios, a lo que la niña le respondió: «¡Lo sabrán en un minuto!».

Con el paso de los años, sin embargo, vamos perdiendo espontaneidad y comienza a aparecer el miedo a equivocarse. Por algún motivo que se me escapa, la creatividad con la que todos nacemos va poco a poco diluyéndose como un azucarillo en el café. Al hacerse mayores, los niños se cuidan de expresar con ingenuidad lo que piensan, el temor a ser corregidos así se lo dicta.

Son abundantísimos los casos de personas que en su adolescencia tenían un sueño que lenta pero inexorablemente fue desvaneciéndose. Esto es especialmente visible cuando las aspiraciones tienen que ver con el arte: «¡Cómo pretendes vivir de la música, estudia!». «¡Quieres pasarte el resto de tu vida de teatro en teatro, despierta!»

A veces, sin embargo, los adolescentes desoyen los consejos y optan por realizar su sueño. El camino está tan repleto de obstáculos que pocos consiguen hacer realidad aquello que les ilusiona, que les motiva. Ir contra corriente ha sido y es penado socialmente con dureza.

Matar la creatividad tiene un coste muy alto. Los títulos, aun los universitarios, han perdido valor, pues poseer un grado o un doctorado no asegura nada. En el pasado el titular aseguraba un buen trabajo y consecuentemente un buen sueldo, pero ahora mismo la inflación de diplomas hace que muchos titulados ocupen puestos de trabajo muy por debajo de su cualificación.

En la nueva era, la creatividad y la innovación van a ser los pilares de la sociedad. **Los viejos paradigmas están obsoletos,** los adolescentes de hoy educados en las ideas tradicionales lo van a tener muy difícil.

Estimule todo aquello que a su hijo le gusta y se le da bien. Si el chico, por ejemplo, tiene don de gentes, no lo reprima. Probablemente esa cualidad será fundamental en su vida adulta. Respete su manera de relacionarse con los demás; a usted seguramente le satisfacía más tomarse unas cañas con los amigos, pero ahora las apetencias han cambiado.

Creer en lo que hacemos nos hace más fuertes. Su hijo puede lograr todo lo que se proponga si siente su aliento. No diga NO porque desconozca las cosas o porque sean distintas: el miedo es contagioso.

En definitiva, sea un Pigmalión positivo, pues eso asegurará gran parte del éxito personal, social y laboral de su heredero.

Regla número **14**

Conviértase en educador digital

Muchos padres se desesperan cuando observan a sus retoños inclinados sobre la mesa de estudios horas y horas sin que ello produzca beneficios evidentes. Incapaces de concentrarse, muchos adolescentes optan por distraerse con lo primero que tienen a mano. Cansados tras la dilatada jornada lectiva, las tardes se pueden volver largas y muy aburridas.

Por un momento, imaginen la siguiente escena: son las cinco de la tarde, la madre se acerca al chico y hace la fatídica pregunta: ¿qué deberes tienes para hoy? El muchacho, que se ha levantado a las siete de la mañana, contesta: «lo tengo apuntado; a ver: son cinco ejercicios de matemáticas, leer un capítulo de un libro de Julio Verne, estudiar los movimientos migratorios en sociales, realizar las actividades de inglés, llamar a Fran para acabar el trabajo de informática y pasar a limpio unos apuntes de tecnología... Ah, y buscar en Google unas cosas de biología».

En condiciones normales la madre saldría corriendo, pero, como sabemos, el amor por los hijos es de tal magnitud que no sólo no huye sino que, pacientemente, pone manos a la obra.

¿POR QUÉ SON TAN DESPISTADOS LOS ADOLESCENTES?

De por sí, la adolescencia supone cambios físicos y biológicos de colosales proporciones. No es objeto de este capítulo su análisis en profundidad, pero es conveniente dejar constancia de su incidencia en procesos mentales básicos en construcción, como la atención, la memoria, la cognición, etc.

Al margen de estos cambios, la enseñanza parece estar diseñada para favorecer **la descentración y el despiste;** con ello no me refiero a los constantes y paranoicos cambios en el sistema educativo, que también, sino especialmente a la disposición horaria de la jornada lectiva.

Es poco probable que la atención se mantenga en niveles adecuados si cada hora (en algunas comunidades cada 50/55 minutos) cambia el profesor y cambia la materia de estudio.

Al cambiar continuamente de actividad, la mente tiende a dispersarse, algo que les pasa a los adolescentes y desde luego también a los adultos. Los sistemas educativos de casi todo el mundo, contra toda lógica, optan por establecer modelos de enseñanza-aprendizaje basados en la sucesión de contenidos desconexionados entre sí.

Por hacer una analogía con el mundo adulto, es como si usted ejerciera de fontanero de 9 a 10, de escritor de 10 a 11, de analista de sistemas de 11 a 12, descansara media hora para el café y a continuación llevara la contabilidad de su empresa de 11,30 a 12,30, hiciera una hora de ejercicio físico de 12,30 a 13,30 y rematara la mañana leyendo un texto de Góngora de 13,30 a 14,30. ¿Complicado, verdad?

Al llegar a casa, es tal el batiburrillo de cifras, textos, comentarios, apuntes, lecciones, etc., que son comprensibles el hastío y la desgana con los que el adolescente encara los temibles deberes. Cuando le preguntamos ¿qué has hecho hoy?, no sabe por dónde empezar.

EL CONO DEL APRENDIZAJE DE EDGAR DALE

A finales de los sesenta el controvertido Edgar Dale relacionó el aprendizaje con la memoria de una manera novedosa en aquel entonces. Para Dale, se recuerda con mucha nitidez aquello que se ha vivido y/o experimentado y, sin embargo, aquello que se ha leído o solamente escuchado apenas permanece en nuestra mente.

El cono que vemos en la imagen establece porcentajes. Al parecer Dale nunca estableció esos porcentajes, pero, fuera así u de otro modo, el caso es que consiguió hacernos reflexionar sobre el conocimiento convencional.

Como observamos, en la **base de la pirámide** se encuentran lo que leemos y lo que oímos. Al cabo de dos semanas, apenas recordamos el 10% de lo que leemos y el 20% de lo que oímos: Yo añadiría que si lo que leemos y oímos nos llama la atención y es interesante, seguramente recordemos al cabo de quince días mucho más que ese pírrico 10/20%. De la misma manera, si aquello que leemos y oímos es insustancial y carece de significado para nosotros, probablemente no llegue ni al 2/3% su recuerdo al cabo de unos días.

En el **medio de la pirámide** está lo que vemos y oímos, aproximadamente recordamos el 50% de las experiencias que relacionan los dos sentidos, como por ejemplo asistir a una demostración de cocina. Quizá por este motivo los programas culinarios tienen tanta aceptación en la televisión.

Los profesores cada vez con más frecuencia emplean medios audiovisuales para apoyar sus explicaciones, conscientes de que al aunar la atención visual y auditiva tienen mayor éxito con sus alumnos.

El cono del aprendizaje

Después de dos semanas, usualmente recordamos		Naturaleza de la participación
90% de lo que decimos y hacemos	Vivir la experiencia real	Activa
	Simular la experiencia	
	Hacer una representación	
70% de lo que decimos	Dar una charla	
	Participar en una discusión	
50% de lo que escuchamos y vemos	Ver una demostración	Pasiva
	Asistir a una exposición	
	Ver una película	
30% de lo que vemos	Ver imágenes	
20% de lo que escuchamos	Escuchar palabras	
10% de lo que leemos	Leer	

En la **cumbre de la pirámide** se encuentran, entre otros, las experiencias reales o su simulación y participar en debates o conversaciones grupales. El recuerdo de este tipo de actividades permanece casi intacto al cabo de dos semanas.

El éxito que tiene en nuestra memoria la vivencia o simulación de una experiencia real se basa en que todos nuestros sentidos participan y están activos. Un simple ejemplo lo puede ilustrar; imagínese que quiere obtener el carné de conducir: ¿cómo cree que tendría más posibilidades, estudiando cómo se conduce, realizando sesiones con un monitor en el coche o practicando en un simulador?

Por mucho que se esfuerce en comprender cómo se ponen las manos, cómo se cambia de marcha o cómo esquivar a otro coche, seguramente suspenda el examen de conducir. Tampoco es seguro que consiga el carné haciendo muchas prácticas con un monitor, pero sus posibilidades de éxito serán infinitamente mayores. El ejercicio con simuladores también aumenta sus opciones de obtener el carné; de hecho este tipo de estrategias cada vez son más empleadas, sobre todo en ámbitos relacionados con la alta tecnología, la Fórmula 1, la aviación, etc.

ADOLESCENTES DIGITALES: ¿CÓMO EVITAR LOS DESPISTES?

A todos nos ha costado ponernos frente a un libro y comenzar a estudiar. Recuerdo una frase lapidaria de mi madre al respecto: «¿Qué, pensando en las musarañas?». En aquella época no existía Google y el diccionario era un libro pesado que trataba de coger lo menos posible. Cuando le preguntaba ¿qué son las musarañas?, me daba una colleja y me decía que me dejara de fantasear y estudiara.

Pero ahora tenemos internet, y con un solo clic podemos acceder a casi cualquier tipo de conocimiento, dato, biografía, ejercicio, etc.

Los adolescentes del siglo XXI no son más despistados (algunos lo denominan falta de atención) de lo que lo eran los adolescentes de hace 10, 20 o 30 años. La biología es mucho más lenta que la tecnología.

A muchos padres les ha pillado con el paso cambiado la irrupción de la era digital, y es comprensible que se encuentren sobrepasados.

Al introducirse en el mundo digital, los adolescentes dejan de despistarse, como por arte de birlibirloque pasan del aburrimiento a la actividad. De forma casi mágica, la atención se concentra, y son capaces de permanecer atentos horas y horas. Algunos pueden decir: «¿qué pasa, que ahora ya no leen libros o no se relacionan con los amigos?». Sí los leen y se relacionan, pero de otra manera.

Las nuevas tecnologías nos brindan una magnífica oportunidad de interactuar inteligentemente con nuestros hijos.

Ya no se trata de pasarse largas horas al lado del chico repitiendo e intentando comprender lo que trata de explicar el libro de texto. Ahora podemos comprobar qué hacen otros, cómo resuelven los problemas o de qué manera enfocan los aprendizajes. **Recuerde el cono de Dale.**

Existen una gran cantidad de páginas web en las que podemos encontrar soluciones a los ejercicios matemáticos, comentarios sobre los libros de Julio Verne, estadísticas actualizadas sobre las migraciones, actividades e incluso personas con las que hablar en inglés, redes sociales que aclaran los conceptos de informática, programas para procesar textos en tecnología... y por supuesto buscar en Google la lección de biología.

De este modo **matamos dos pájaros de un tiro:** por una parte

conseguimos cambiar el despiste por atención y, por otra, mucho más importante, fortalecer el vínculo con el adolescente. Al sentirse apoyado y no criticado, el chico dará lo mejor de sí mismo, confiará en usted y ello hará que le cuente cómo le van las cosas, los problemas a los que tiene que enfrentarse y las inseguridades que le acechan.

Piénselo: no sólo va a ayudar a su hijo con los deberes sino que usted también va a aprender.

La tan temida «brecha digital» sólo existe en la mente. No hay nada que los padres no puedan conseguir si se lo proponen. No denostemos a las nuevas tecnologías porque las desconozcamos; los padres tienen la feliz oportunidad de aprender de ellas al tiempo que acompañan a sus hijos en su desarrollo. **Introdúzcase en el**

mundo de su hijo y él le devolverá ese esfuerzo multiplicado. Guíe las inseguridades personales de su hijo y déjese orientar en las referentes a la era digital. Todos salen ganando.

Es necesario que comprendamos que los adolescentes actuales se han educado en el mundo digital; para algunos padres puede significar poco o nada, pero lo cierto es que sus estrategias de aprendizaje difieren sustancialmente de las que empleábamos los padres analógicos. No trate de entenderlo, simplemente aproveche los múltiples recursos que le proporcionan las nuevas tecnologías y disfrute con sus hijos.

Regla número **15**
Controle la ira

Durante una etapa de mi vida fui maestro de chicos con dificultades de aprendizaje. Eran los primeros tiempos de la llamada «integración»; estos muchachos asistían a la escuela con otros de su edad, pero pasaban la mayor parte del día en un aula especial.

Recuerdo un alumno, al que llamaremos Raúl, que tenía 16 años, era alto y un tanto desgarbado, de aspecto descuidado y poco agraciado físicamente. El muchacho apenas hablaba y se pasaba el día con la mirada perdida. Curiosamente, cuando el bedel del colegio tenía que hacer alguna actividad como arreglar una puerta, pintar el pasillo o trasladar expedientes, Raúl se entusiasmaba, sus ojos chispeaban y me pedía que le dejase ayudar.

Pasé todo el año intentando que aprendiese, mediante un sistema de fichas, las cosas que yo creía importantes y para las cuales había sido preparado: multiplicar, las oraciones, dónde estaban los ríos más caudalosos, etc.

Raúl no parecía muy interesado en lo que yo le explicaba, y cada vez que podía se escapaba con el bedel y volvía feliz como un regaliz. Le faltaba tiempo para contarme lo que había estado haciendo y lo mucho que le gustaba.

Era su último año en la escuela. En el mes de junio nos fuimos de viaje de fin de curso con los alumnos que dejaban el colegio. El destino era Port Aventura; fuimos a visitar Barcelona, la Sagrada Familia, el parque Güell, el Nou Camp, etc. Nuestro centro de operaciones era Lloret de Mar, donde nos alojamos en un hotel.

Una tarde nos acercamos a una discoteca del pueblo en la que no se despachaban bebidas alcohólicas antes de las 12 de la noche. Los chicos se lo estaban pasando en grande cuando ocurrió un incidente: uno de nuestros alumnos se estaba retando con un muchacho extranjero. Antes de que pudiésemos intervenir los profesores, Raúl tomó la iniciativa.

Lo recuerdo como si fuese hoy. Raúl se puso en medio de los alterados adolescentes y con voz tranquila les dijo: Sorry, where are you from? Todos se quedaron parados y de repente en spanglish comenzaron a contarse cosas. Me quedé estupefacto: todo un año intentando que aprendiera conceptos académicos y con una sola frase había resuelto una situación muy delicada.

El viaje de regreso fue una lección de vida para mí. Todos los chicos querían estar al lado de Raúl, que como por arte de magia se convirtió en el líder del grupo. Estuve dialogando con él largamente, y me contó que quería aprender el negocio de la leche y que estaba dispuesto a ir a una escuela de formación profesional a 80 km de su casa para prepararse.

Aún hoy sigo asombrado: **el chico despreciado académicamente poseía una inteligencia emocional fuera de lo común.** ¿Qué pasó para que en una situación límite Raúl consiguiera mantener la calma y afrontar el problema de manera racional?

En abril de 2012 pasó algo similar: si lo recuerdan, una persona consiguió parar una pelea entre una pareja en el metro de Nueva York simplemente poniéndose en el medio y armado con una bolsa de patatas fritas. El vídeo lo pueden ver en YouTube[1] y es otro ejemplo singular de inteligencia emocional.

En ambos casos, pese a lo incómodo de la situación, los «pacificadores», con su actitud serena, lograron que las personas en conflicto abandonaran las disputas. No emplearon la fuerza física, ni los reproches verbales, sencillamente permitieron que la razón dispusiera de los segundos suficientes como para imponerse a la ira.

Lo que acabo de relatar no es lo habitual. Diariamente asistimos a manifestaciones de descontrol en el terreno de las emociones. Las televisiones y diarios nos cuentan que un chico en Detroit se lía a pegar tiros en una escuela, que dos personas se han enzarzado en una discusión agria por quién debía ceder el paso o que un vecino tiene amedrentada a su comunidad.

Si los adultos no somos capaces de poner freno a nuestras emociones, ¿qué pasará cuando tengamos que educar a nuestros hijos?

---

[1] http://www.notengotele.com/curiosidades/detiene-una-pelea-en-el-metro-con-una-bolsa-de-patatas-fritas.

RAZÓN Y EMOCIÓN EN LA ADOLESCENCIA

Cuando tenía 10 años y mi hermana 3, mis padres nos regalaron una pareja de hámsters. Cada uno de nosotros eligió uno y le puso nombre. Nos pasábamos largos ratos observando cómo se balanceaban en una especie de noria que incluía la jaula.

Al cabo de un tiempo la hembra de hámster tuvo varias crías. Era emocionante ver cómo de manera maternal las cuidaba y daba calor. Pero esto duró pocos días pues, para nuestro asombro, una mañana al levantarnos comprobamos que los pequeños hámsters habían sido devorados por sus propios padres.

El impacto que tuvo en nosotros fue enorme: no entendíamos por qué si el día anterior la madre los cuidaba con mimo, de repente podía haber hecho algo tan macabro. Le dije a mi madre que se los llevase porque no los quería volver a ver. No sé qué hizo, pero por la tarde había desaparecido la jaula con los animales. No volvimos a preguntar por ellos.

¿Qué había pasado? La respuesta a esta pregunta llegó muchos años después y me hizo comprender la importancia que tienen los afectos y el vínculo que se establece entre padres e hijos.

El sistema límbico o **cerebro emocional** se desarrolla evolutivamente antes que el neocórtex o cerebro racional. Hace poco más de 100.000 años que somos animales racionales. Hasta ese momento el individuo era reactivo. Estábamos programados para responder a un estímulo solamente de dos maneras: huida o lucha.

Cuando nuestros antepasados, hace más de 100.000 años, se enfrentaban a un peligro, su sistema límbico se activaba enviándoles señales de miedo, angustia, temor, etc. Inmediatamente se producía una de las dos respuestas que hemos señalado. El sujeto salía despavorido corriendo o bien adoptaba una posición defensiva y comenzaba la pelea.

En nuestro sistema límbico se procesan la mayoría de las emociones: miedo, angustia, alegría, ira, penas, etc. Se puede decir que este sistema es el centro de la afectividad del ser humano.

Hace unos 100.000 años la evolución del cerebro dio un salto cualitativo. Por encima del sistema límbico apareció el neocórtex o **cerebro racional.** De esta manera a los impulsos y emociones propios del sistema límbico se añadió la capacidad de pensar de forma abstracta. Esto propició que el individuo se liberara de la inmediatez del momento presente y actuara de forma consciente y planificada. Como consecuencia, la persona desarrolla una compleja vida emocional a la vez que despliega el lenguaje, la imaginación o la creatividad.

La aparición del cerebro racional permite modular las emociones. El amor es una prueba de ello. Al conectar el neocórtex con el sistema límbico, permite establecer un vínculo entre la madre y el hijo. Este vínculo será muy potente, de tal manera que asegure el cuidado de la prole y posibilite el máximo desarrollo de la especie humana.

Al carecer de neocórtex, como en el caso de los hámsteres, el amor materno desaparece a los pocos días y las crías deben ocultarse para evitar ser comidas por su propia madre.

Las emociones son como respuestas automáticas programadas desde hace millones de años para poder adaptarnos a ambientes hostiles y desconocidos. Toda emoción lleva implícita una acción, y sólo el ser humano es capaz de disociar la emoción de la acción.

Todos, en algún momento, nos hemos sentido profundamente enfadados. Cuando la ira nos domina, nuestro riego sanguíneo se precipita sobre las manos facilitando el agarre de un palo para pegar a un supuesto contrincante. Igualmente nuestro pulso se acelera y la adrenalina se dispara. ¿Qué hace que no nos liemos a mamporros habitualmente?

Al separar emoción y acción, evitamos que nuestro cerebro límbico se imponga. No siempre es así. Airados porque nuestro hijo ha llegado tarde, nuestras emociones se desatan. Basta con examinar nuestro tono de voz: «¿No te dije que te quería en casa a las 10?».

La ira engendra ira: cuando cambiamos el tono de voz y nuestra respiración se acelera fruto de nuestro estado emocional, el chico no puede hacer otra cosa que reflejar nuestro estado de ánimo. Excitado e iracundo como nosotros, nos responderá también de forma hostil.

La buena noticia es que sí podemos y debemos intervenir en el desarrollo emocional. Nuestros impulsos pueden ser corregidos y enfocados adecuadamente. Actualmente conocemos las claves para modular los hábitos emocionales de los adolescentes. Solamente hay que ponerse manos a la obra.

En cualquier caso, desatadas las emociones, todo puede pasar. Cuando usted perciba que la ira lo domina, es el momento de poner a funcionar su cerebro racional. Cálmese, respire profundamente, serénese. Sólo de esta manera evitará «devorar» a su hijo.

Regla número **16**

Encauce las emociones

Durante la adolescencia los cambios hormonales son tan violentos que provocan que las emociones se disparen o se inhiban en lapsos de tiempo muy pequeños. Es altamente recomendable comprender y saber actuar ante estos cambios.

La decepción o el entusiasmo pueden sucederse de manera repentina, para desesperación de los padres. No se apure: el cuerpo y la mente de su hijo están ajustándose, y pasarán varios años antes de que consiga controlar y regular adecuadamente las emociones.

Los siguientes ejemplos ilustran el proceloso mundo emocional del adolescente. Acompañar a su hijo en estos vaivenes no es fácil, pero sí necesario para su aprendizaje y adecuado desarrollo emocional.

EMOCIONES POSITIVAS

Laura y sus tres amigas llevaban un mes preparándolo todo para asistir al concierto. Habían conseguido las entradas en internet y las guardaban con celo en un cajón secreto de su habitación. El día anterior eran un manojo de nervios y, excitadas, daban vueltas por la casa a toda velocidad sin saber muy bien qué era lo que buscaban.

Justin Bieber actuaba en Madrid, y ellas no se lo iban a perder. Aunque el concierto era a las 9 de la noche, Laura y sus amigas hacían cola desde las cuatro de la tarde porque querían un buen lugar para ver más de cerca a su ídolo. La espera no fue larga, no estaban cansadas; cuando comenzaron a pasar las primeras fans por el torno, les dio un vuelco el corazón, estaban cada vez más cerca.

Tras unas decenas de empujones y algún que otro pisotón, lograron situarse muy cerca del escenario. A las nueve en punto se apagaron las luces del pabellón, sus ojos chispearon, su corazón comenzó a latir a un ritmo frenético, tenían las manos temblando y un sudor frío recorría todo su cuerpo. Las amigas se abrazaron entre sí.

Cuando apareció el artista, se echaron a llorar; no se lo podían creer, estaban allí a poca distancia de él. A gritos intentaron hacerse oír, repetían su nombre una y otra vez. Como resortes, empezaron a saltar al comenzar la actuación y ya no fueron capaces de parar en toda la noche. Afónicas y sudorosas, pidieron con rabia: otra, otra, otra…

Fue una noche inolvidable, y durante semanas estuvieron siguiendo las andanzas del archifamoso superartista. Era lo mejor que les había pasado en su vida, y lo recordarían durante años. La ropa que habían llevado a aquel concierto jamás la lavaron, era fetiche.

La extraordinaria emoción con la que los adolescentes acuden por primera vez a un concierto es similar a la que siente un aficionado al fútbol cuando su equipo marca el gol que le da la copa de Europa. Todo nuestro cuerpo experimenta un alud de sensaciones especiales, las emociones se desatan, por unas horas olvidamos nuestros problemas y preocupaciones. Somos inmensamente felices, nos abrazamos al primero que se nos acerca y sólo queremos saltar y desgañitarnos.

Este tipo de explosiones emocionales están reguladas por el sistema límbico. Lo que acabamos de describir es un ejemplo positivo de expresión emocional, pero el mecanismo es el mismo cuando ocurre un brote de violencia.

Los arrebatos de ira o cariño tienen su epicentro en la amígdala. Esta estructura se encuentra en el cerebro dentro del llamado sistema límbico y su papel tiene que ver con la identificación, el procesamiento y la regulación de la conducta emocional. Un individuo que careciera de amígdala perdería todo interés por relacionarse con otros individuos, su capacidad de razonamiento seguiría intacta, pero le incapacitaría para tener el más mínimo sentimiento.

La amígdala es como un vigilante 24 horas. Está pendiente de cualquier amenaza potencial, preparada para activar el sistema hormonal corporal que incita a la huida o la lucha; por eso ante un peligro o una emoción positiva nuestro ritmo cardíaco se dispara, la tensión arterial aumenta y la respiración se hace más pausada.

Hasta hace pocos años se creía que las impresiones que captan nuestros sentidos iban directamente al tálamo y de ahí al neocórtex o cerebro racional. LeDoux[1] demostró que no es exactamente así al descubrir vías nerviosas propias para los sentimientos. Dicho de otra manera, algunos estímulos llegan antes a la amígdala y por lo tanto actúa previamente el sistema límbico o cerebro emocional. Por esta razón se desata la pasión de Laura y sus amigas; a la vista de los demás su comportamiento es exagerado e irracional, pero ellas están henchidas de emoción y gozo.

«Lo importante es el viaje, no el destino»: esta frase acuñada por

---

[1] LeDoux: http://www.muyinteresante.es/joseph-ledoux.

Kavafis en *Viaje hacia Ítaca* bien podría emplearse para ilustrar una campaña de la DGT, pero en los adolescentes adquiere un profundo sentido. Aproveche que su hijo acude a su primer concierto, acompáñelo en los preparativos, ilusiónese con cada pequeño detalle, haga de su presencia una guía. Educar es acompañar, y una buena compañía hace el viaje más gratificante.

EMOCIONES NEGATIVAS

El chico estaba hablando por teléfono en su habitación, llevaba casi una hora cuando su madre entró acalorada: «¡Ya está bien, deja de charlar y ponte a hacer tus deberes!». Al principio el adolescente no le prestó atención, pero cuando por segunda vez escuchó la voz de la madre, se desató un ola de rabia en su cara. Se levantó airado, con los ojos rojos, se situó a escasos centímetros de su madre y por un momento pensó en pegarle, pero se paró.

Así me relataba una amiga el incidente que había vivido el día anterior. Estaba aún asustada y no comprendía qué le podía haber pasado a su hijo, cómo era posible que se encarase con ella de ese modo. Cabizbaja, me decía: «¡Mi hijo es un inmaduro, no piensa lo que hace!».

¿Qué había pasado, por qué esa reacción? La amígdala se había puesto en rojo, fuera de sí, y durante unos milisegundos el cavernícola que llevaba dentro se ponía en marcha. ¿Pero qué pasó para frenarse en seco y no seguir con su actitud?

La amígdala tiene un regulador natural que consigue que la mayoría de las ocasiones nos paremos y no sigamos con nuestra conducta violenta. Los lóbulos frontales del cerebro actúan modulando las respuestas de la amígdala; por decirlo de algún modo, son como un extintor de incendios. Al activar los lóbulos frontales, se reorganiza la respuesta emocional y la amígdala se para en seco.

La mala noticia es que la completa madurez de la corteza prefrontal puede alargarse hasta los veintitantos en los chicos, algo antes en las chicas. Estos lóbulos son también responsables de conductas como el control de impulsos, la atención, la toma de decisiones o la planificación.

No se desesperen, la biología se toma su tiempo para completar el proceso madurativo. Durante la adolescencia, el chico aprende a controlar su conducta y hacerla más llevadera, pero no va a ser tarea sencilla. Eviten discutir cuando el chico está en modo «neardental», pues sólo le traerá más disgustos.

Ustedes saben perfectamente que cuando estamos acalorados, no razonamos, decimos cosas de las que después nos arrepentimos y tenemos la tendencia a hacer de un grano de arena una montaña.

Sea firme pero al mismo tiempo use sus lóbulos frontales. Espere a que el chico se calme y, cuando esto ocurra, acérquese a él de forma amistosa, emplee un tono de voz bajo, evite señalar con el dedo y enséñele a pensar. Si muestra calma, su hijo aprenderá a calmarse; si muestra agresividad, su hijo aprenderá a ser agresivo.

Es un inmaduro, sí, pero es «su» inmaduro, no lo olvide.

Regla número **17**
Estimule la inteligencia emocional

Cuando tenía 15 años, mis padres se trasladaron de ciudad por motivos laborales, y atrás dejé a mis amigos, con los que acababa de iniciar mi paso a la adolescencia. Entré en el nuevo instituto lleno de dudas, no conocía a nadie y los primeros días observaba a los profesores y alumnos con curiosidad intentando saber cómo pensaban.

Enseguida hice buenas migas con Juan Antonio, que, como yo, empezaba en el instituto. Era un chico de pequeña estatura y cara pecosa, procedía de un pueblo distante 70 km de la ciudad y me llamaba la atención que hablaba de cosas desconocidas para mí. En nuestros paseos, durante el recreo, me contaba que su ilusión era tener camiones para transportar la leche que sus padres producían con las 20 vacas que cuidaban. Solía preguntarle si no le apetecía tener más vacas y él me contestaba que lo que le apetecía era transportar toda la leche de los vecinos de la comarca. A mí, que era un chico de ciudad, todo aquello me sonaba a chino.

Juan Antonio no tenía mucha suerte en los exámenes, le costaba llegar al cinco; en algunas ocasiones le invitaba a mi casa para explicarle historia o literatura, asignaturas que a mí me resultaban fáciles. Los profesores apenas reparaban en él, y al ser un adolescente callado, no tenía incidentes con ellos. Los tres cursos que coincidí con Juan Antonio fueron un martirio para él, que me decía que lo que estábamos aprendiendo no le servía para lo que quería hacer y que no iría a la universidad porque entendía que tampoco le ayudaría mucho.

Supe, años después, que el chico bajito y pecoso tenía una

flota de camiones con la que abastecía a medio país. Había empezado con la leche y ahora lo hacía con el aceite, licores, agua, etcétera. De todos los compañeros de aquella clase, Juan Antonio fue el que más éxito social y económico había logrado.

Por casualidad lo encontré por la calle hace un par de años, me reconoció y estuvimos tomando un café, charlando de los viejos tiempos. Me decía que su peor experiencia fueron los años en que tuvo que estudiar cosas inútiles. Juan Antonio se había convertido en una persona con un gran «don de gentes», y aunque no siempre le fue bien en los negocios, ahora tenía trabajando para él a los mejores economistas y abogados y la vida le sonreía.

Habitualmente las personas que destacan en la escuela suelen ocupar los mejores puestos de trabajo. No obstante, hay muchas excepciones a esta regla: basta revisar la lista de los diez más ricos para comprobar que la mayoría no han pisado la universidad y que los que lo han hecho la han abandonado prematuramente. Parece que el éxito, tal y como lo concebimos, no está directamente relacionado con el buen rendimiento escolar.

LA MEJOR ESCUELA, LA VIDA

El instituto estimula, básicamente, conocimientos lingüísticos y matemáticos. En general se valoran los aspectos intelectuales por encima de los sociales y/o emocionales, pero en la vida cotidiana son estos últimos los que más empleamos. Lamentablemente la escuela apenas presta atención a las habilidades básicas de la vida, quizá porque su modelo es caduco y responde a necesidades de otro siglo.

Las modernas investigaciones en inteligencia emocional han puesto de relieve el papel fundamental que tienen aspectos como la tolerancia a la frustración, la capacidad de automotivarnos, el autocontrol de la conducta, la regulación de los estados de ánimo, el manejo de la ansiedad o la empatía. Todos estos factores predicen con mayor fiabilidad el éxito en la vida de las personas que el elevado rendimiento en los años escolares.

Volviendo a una cita de Daniel Goleman es su libro *La inteligencia emocional:* «Existen muchas más excepciones a la regla de que el CI (cociente intelectual) predice el éxito en la vida que situaciones que se adapten a la norma. En el mejor de los casos, el CI parece aportar tan sólo el 20% de los factores determinantes del éxito (lo cual supone que el 80% restante depende de otra clase de factores)».

Así como en la Edad Media el conocimiento estaba restringido a los monasterios y durante el siglo pasado se generalizó a la población a través de la escuela, ahora puede llegar a cada hogar a través de internet. Con un ordenador de mesa y una conexión básica podemos tener acceso a cualquier noticia, concepto o descubrimiento. Ya no hay que salir de casa para ir a buscar el saber, lo tenemos al alcance de la mano.

Con una escuela en horas bajas y con la posibilidad infinita de acceso al conocimiento a través de las nuevas tecnologías, no es de extrañar que los adolescentes del siglo XXI se encuentren perdidos y desubicados.

El de Juan Antonio no era un caso aislado. Por alguna extraña razón los compañeros menos brillantes académicamente, de aquellos cursos de bachillerato con los que compartí adolescencia, llevaban una vida plena, tanto personal como profesionalmente. Si tenía información de ellos, al cabo de tantos años, era porque yo también estaba en el pelotón de los torpes. Contrariamente, los alumnos más exitosos escolarmente habían corrido una suerte dispar.

Este hecho se repetía cada vez que analizaba investigaciones realizadas tanto en nuestro país como en otros de nuestra cultura. Parecía claro que alto rendimiento escolar y logros personales o profesionales no guardaban relación directa. Los adolescentes que habían tenido excelentes puntuaciones durante el período escolar no siempre se enfrentaban con el mismo éxito a la sucesión de acontecimientos favorables y adversos que nos depara la vida.

Nuestra escuela dota a los estudiantes de magníficas capacidades en el ámbito lingüístico y matemático; de hecho en la enésima reforma que se avecina, el horario dispensado a estos conocimientos se amplía en detrimento de otros como los culturales, artísticos o tecnológicos. ¿Por qué seguimos anclados en la lengua y las matemáticas?

En la Edad Media los saberes que se enseñaban estaban divididos en dos ámbitos bien diferenciados: el **trívium y quadrívium.** El trívium se refería a los conocimientos de gramática, retórica y dialéctica, y el quadrívium, a los de aritmética, astronomía, geometría y música. En síntesis, vendrían a ser las actuales lenguas y matemáticas.

Esta estructura se ha conservado hasta nuestros días con ligeras variaciones. Los sistemas escolares de todo el mundo, con escasísimas excepciones, enfatizan este tipo de conocimientos por encima de cualquier otro. Me pregunto: ¿son herramientas idóneas para que los adolescentes del siglo XXI se enfrenten a la vida?

¿QUÉ ENTENDEMOS POR INTELIGENCIA?

¿Hemos sobrestimado el papel de los factores intelectuales y minimizados los factores personales y/o relacionales? La medida de la inteligencia tiene su origen, hace aproximadamente cien años, en dos psicólogos, uno estadounidense y otro francés.

Los primeros test de inteligencia elaborados por **Terman** sirvieron para clasificar a millones de personas en Estados Unidos durante la I Guerra Mundial; así nace el concepto de CI o cociente intelectual, como diferencia entre la edad mental y la edad cronológica. Anteriormente **Binet-Simon** (1905), a petición del Ministerio de Educación de Francia, había realizado una escala para clasificar a los alumnos franceses de educación primaria según su nivel de rendimiento.

El famoso CI (cociente intelectual) nace como una medida del rendimiento escolar. Los más inteligentes se asociaron con los más dotados escolarmente, y probablemente esa idea haya persistido hasta la actualidad confundiendo a educadores y padres.

Ha pasado más de un siglo y sin embargo la medida de la inteligencia a través de tareas verbales y lógico-matemáticas sigue vigente. Los más inteligentes son los más capacitados para la resolución de estas tareas tan frecuentes en los currículums escolares.

Desde hace poco más de 20 años se habla, sin embargo, de otro tipo de inteligencia, la inteligencia emocional, que en síntesis vendría a ser el conjunto de habilidades con las que nos enfrentamos a la vida, como la tolerancia a la frustración, la capacidad de automotivarnos, el autocontrol de la conducta, la regulación de los estados de ánimo, el manejo de la ansiedad o la empatía.

Estos factores predicen con mayor fiabilidad el éxito en la vida de las personas que el elevado rendimiento en los años escolares.

Probablemente personas como Bill Gates (Microsoft) o Amancio Ortega (ZARA) hayan adquirido una competencia emocional superior que les ha posibilitado el manejo de grandes equipos humanos. Es seguro que a lo largo de su vida se han topado con el fracaso, pero su capacidad de automotivación o autocontrol ha hecho que lo superasen y aprendiesen de él. Justamente lo contrario de lo que prima en nuestras escuelas e institutos: cuando un alumno encara una tarea escolar, no lo hace para conseguir éxito, sino para evitar el fracaso.

El futuro laboral demandará, cada vez más, personas inteligentes emocionalmente. Para cuidar 20 vacas es necesario trabajar duro, pero para llevar una empresa es preciso, además, manejar personas. Anticípese al futuro.

INTELIGENCIA EMOCIONAL FRENTE A INTELIGENCIA ACADÉMICA

¿Una buena formación académica es positiva? La respuesta es SÍ, claro que lo es. ¿La formación académica tradicional prepara a los adolescentes de hoy para el futuro? La respuesta es NO, no los prepara.

La crisis actual no es una mera crisis económica, estamos asis-

© Ediciones Pirámide

tiendo a un cambio de paradigma de descomunales dimensiones. El modelo productivo vigente hasta hace poco tiempo está dando paso a la sociedad del conocimiento. La escuela tradicional prepara al alumno para su ingreso en el modelo productivo, pero apenas si roza aspectos muy colaterales de la nueva sociedad del conocimiento.

En el siglo xx un chico podía estudiar, licenciarse y trabajar durante toda su vida, por ejemplo de médico, bombero, administrativo, contable, profesor, etc. La titulación garantizaba que más temprano que tarde se acabaría encontrando un puesto de trabajo acorde a la formación recibida y además para toda la vida. Todo esto está cambiando.

La sociedad productiva se desmorona; desde luego que seguirán siendo necesarios médicos, bomberos, administrativos, contables y profesores, pero serán muy pocos los que lo consigan. **La inflación y sobreabundancia de titulados harán que para cada puesto laboral sean miles los llamados pero sólo unas decenas los elegidos.** Se necesita algo más que un título para progresar en la sociedad del conocimiento.

Las habilidades necesarias para adaptarse a las nuevas reglas tienen más que ver con el «ser» que con el «saber».

«No pidas una carga ligera, pide unas espaldas fuertes» (Theodore Roosevelt, 1858-1919). Esta frase del vigésimo sexto presidente de los Estados Unidos (1901-1909) resume, impecablemente, las cualidades necesarias para adaptarse al siglo xxi.

Aligerar la carga de los adolescentes ha sido la finalidad de muchas familias en la creencia de que, facilitando las cosas, los chicos tendrían una vida mejor. Noble propósito, pero equivocado. Hacer la vida más cómoda no prepara para la vida, al menos para lo que nos viene encima.

Es más recomendable dotar de unas espaldas fuertes. Estamos hablando de estimular las fortalezas y ayudar a superar las debilidades. Les pondré un ejemplo bien sencillo: ¿tiene su hijo dificultades con el inglés? Si las estadísticas no mienten, los alumnos españoles obtienen peores resultados en comprensión lectora y escrita, y sobre todo en comprensión oral, que los alumnos de la mayoría de países europeos, y ello aunque tengan más horas de clase. Probablemente su hijo se encuentre en esta situación. ¿Cómo afrontarlo?

Usted puede aligerar su carga echando la culpa al sistema educativo, por ejemplo. O bien puede optar por resolver el problema. Si escoge la segunda alternativa, estará haciendo a su hijo más fuerte, le estará enseñando que cualquier problema puede ser resuelto; él aprenderá que puede conseguir lo que se proponga y esto le hará más inteligente emocionalmente.

Si no dispone de medios económicos para enviarlo a un colegio extranjero, o para reforzar su manejo del inglés con clases paralelas, no se rinda: hay otras opciones, siempre las hay. Busque en la red: existen cursos y clases de apoyo, y si no le convencen, invite a su hijo a relacionarse con personas de habla inglesa, a leer noticias en ese idioma o a ver películas y/o programas en inglés. Motívele para que sea constante y échele un cable cuando le flaqueen las fuerzas. De esta manera usted consigue que su hijo no sólo acabe hablando inglés sino que aprenda a tolerar la frustración y sea más inteligente emocionalmente.

Actúe de esta manera ante cualquier dificultad que tenga su hijo. Supla las carencias de un sistema educativo decimonónico con imaginación. No se rinda o su hijo se rendirá. Aprender a no rendirse demuestra una alta inteligencia emocional.

Regla número **18**

Conócete a ti mismo (Sócrates)

¿Qué pasó aquella desgraciada noche de Halloween en el Madrid Arena? Miles de jóvenes se habían reunido para bailar y pasar una noche de fiesta cuando el exceso de aforo desató el caos. El resto de la historia es conocida por su amplia cobertura por los medios de comunicación: en su intento por salir del recinto se produjo una avalancha humana y cinco adolescentes, de entre 17 y 20 años, perdieron la vida.

En enero de 2013 los teletipos de todo el mundo daban la noticia: un incendio en una discoteca en la ciudad de Santa María, Brasil, dejaba un saldo de 233 víctimas mortales, todas ellas jóvenes. Como en el caso del Madrid Arena, una avalancha humana que no encontró salida produjo el trágico resultado.

Discotecas, estadios de fútbol, cines, teatros y en general cualquier espacio público cerrado o abierto han tenido incidentes como los del Madrid Arena o Brasil. Ocurre algo inesperado y por razones incomprensibles se desata el pánico. Nuestra lógica se bloquea e iniciamos una desesperada huida tratando de escapar de algo que, en la mayoría de las ocasiones, no conocemos.

Generalmente son jóvenes y adolescentes los que sufren este tipo de incidentes. Las muertes no las produce el fuego o las condiciones del local, sino el aplastamiento.

¿CÓMO REACCIONAMOS CUANDO NOS VEMOS EN PELIGRO?

Las personas no afrontamos de la misma manera una situación límite como puede ser una avalancha, un incendio o un atraco. En la adolescencia, generalmente, el peligro se percibe de distinta manera que en la edad adulta. De hecho los adolescentes se exponen con mayor facilidad a situaciones potencialmente amenazantes.

Las emociones desbordan a los adolescentes, por decirlo de algún modo les nublan la razón, y sus reacciones son más viscerales y rápidas. La toma de conciencia de uno mismo no se produce con la misma facilidad que en años posteriores.

El ser consciente de las propias reacciones es la base de la inteligencia emocional. La escuela apenas repara en ello, más preocupada por instruir en los saberes tradicionales. **El primer paso para controlar nuestras respuestas es ser consciente de nuestras emociones.** Ante situaciones extremas, las emociones del adolescente se disparan, y, empujado por la masa, no es capaz de valorar objetivamente sus propias reacciones.

Es muy recomendable enseñar a nuestros chicos a expresar sus emociones, a contarnos qué sienten, cómo les afecta. La verbalización de las emociones ayuda sobremanera a tomar conciencia de ellas.

CONCIENCIA EMOCIONAL, EL PUNTO DE PARTIDA

Un día el chico llega malhumorado a casa, pasa de saludar a su madre y se va directamente a su habitación. Desde un punto de vista formal, su comportamiento es incorrecto, así que le pedimos explicaciones por su actitud y recibimos como respuesta un: «Déjame, ahora no tengo ganas de hablar».

Esa mañana ha tenido una pelea verbal con su mejor amigo y se siente herido porque considera que le ha fallado. En cierta manera odia haber confiado en la amistad del otro chico; decepcionado, no quiere saber nada de nadie y cree que no es bueno confiar más en la gente.

Su reacción ha sido desproporcionada, pero eso él no lo sabe. No es consciente de que está «matando mosquitos a cañonazos». Sólo el análisis frío de lo que ha pasado puede hacer que tome conciencia de la situación. Si el adulto castiga la incorrección, el chico no avanzará. Antes de tomar decisiones sobre la conducta, es mejor dejar pasar un rato y luego hablar con el muchacho.

Lo importante es que el adolescente nos cuente cómo se siente, que verbalice su estado de ánimo, antes incluso de que nos relate qué le ha pasado. Esta forma de proceder permite que vaya tomando conciencia de sí mismo, de sus emociones. No se trata de aconsejarle, de minimizar la situación, sino de escuchar.

Después del desahogo es el momento de entrar en detalles, de valorar lo que le han dicho y lo que él mismo ha dicho. De esta manera estamos enseñando al adolescente primero a tomar conciencia del hecho y después a tomar decisiones.

Cuando los adolescentes corrían despavoridos buscando una salida, habían tomado una decisión sin ser conscientes de sus propias emociones.

Eduque a su hijo en el reconocimiento y expresión de las emociones: no sólo evitará peligros, sino que le hará mucho más humano, más querido y más reclamado. El desarrollo del autoconocimiento le facilitará su tránsito por la vida.

EL CASO DE PEDRO

Durante una etapa de mi vida profesional colaboré con los servicios de salud mental infanto-juvenil. En las reuniones que manteníamos se trataban casos especiales, de niños y adolescentes que presentaban comportamientos alejados de la llamada «normalidad».

El caso de Pedro era muy intrigante. Mayte y Saúl, sus padres, habían contactado con varios especialistas y no encontraban explicación al comportamiento de su hijo. Desde pequeño el chico parecía insensible a cualquier muestra de cariño o ira por parte de sus padres. Esta conducta también se había repetido primero en el colegio y luego en el instituto.

A los nueve años, un profesional de la salud les había comunicado que su hijo, probablemente, tuviera un trastorno del desarrollo tipo autista. Los meses siguientes fueron un sinvivir a la espera de confirmar la sospecha, pero para su tranquilidad este diagnóstico fue desechado posteriormente.

Mayte y Saúl estaban muy preocupados porque su hijo no tenía amigos y con 14 años no mostraba interés en salir a pasear o darse una vuelta por el parque. Los pocos contactos sociales de Pedro se limitaban a realizar tareas escolares conjuntas, en la mayoría de los casos forzadas por algún profesor para llevar a cabo trabajos en equipo.

«¡Nuestro hijo ni siente ni padece!», exclamaban los padres, «es como si todo le diese igual. Es brillante en el instituto, tiene un comportamiento correcto, jamás hemos recibido queja alguna, pero no sabemos qué piensa, qué le preocupa, qué ilusiones tiene».

OBJETOR EMOCIONAL

Pedro, contrariamente al pensamiento de sus padres, sí sentía y padecía. El problema del chico no era perceptivo, el problema radicaba en su incapacidad para traducir las sensaciones. Dicho de otra manera, Pedro tenía serias dificultades para expresar lo que estaba sintiendo en cada momento, era algo así como un analfabeto emocional.

Cuando hablé con los padres y les expliqué el problema de su hijo, empezaron a sentirse aliviados: por fin encontraban sentido a lo que Pedro manifestaba. Cansados de buscar un tratamiento a sus males, ahora se enfrentaban a algo muy distinto. La madre del chico lo expresó con pocas palabras: «¡Se trata de enseñarle a expresar sus emociones!».

Las emociones son la cenicienta de la enseñanza; los currículums educativos apenas reparan en su conocimiento, se da por hecho que los chicos aprenden a ser de manera natural, espontánea, y en cierta manera así es.

Durante la etapa infantil, se admite y valora que los niños expresen sus emociones, pero a medida que avanzan los años escolares pasa a la inversa, **la tendencia es que los chicos aprendan a reprimir lo que sienten.**

Pedro no tenía muchos amigos, pero tampoco era un chico rechazado en el instituto. Desde que comenzó la enseñanza secundaria, había asumido un rol de chico frío y distante, cosa que parecía no disgustar demasiado a sus compañeros.

APRENDIENDO A EXPRESAR EMOCIONES

El camino, en estos casos, acostumbra a ser largo. El aprendizaje comienza por la toma de conciencia emocional. Ser conscientes de lo que sienten es todo un reto para los «objetores emocionales», por lo que conviene iniciar el trabajo enseñando a discriminar los distintos sentimientos que conforman las emociones del ser humano.

Una vez que son capaces de reconocer emociones en sí mismos y en los demás, se inicia la fase de expresión de las mismas. El trabajo puede durar varios meses de intenso entrenamiento hasta que de una manera automática los chicos comienzan a verbalizar emociones. A lo largo de ese tiempo suelen producirse muchos altibajos, y en ocasiones se retrocede al punto de inicio, pero, como todo en la vida, con constancia llegan los resultados.

La implicación de los padres en esta fase es fundamental, pues pueden volcar en casa lo que aprenden fuera, convirtiéndose en coterapeutas. Los padres han de desprenderse de la idea de buscar una etiqueta clínica para lo que le pasa a su hijo y centrarse en encontrar la manera de ayudarlo.

Las actividades relacionadas con la dramatización o el teatro son incuestionables aliadas en este ámbito. La expresión corporal precede a la verbalización emocional. Al expresarse con su cuerpo, los chicos aprenden a vivenciar lo que sienten.

Una muestra de lo que digo lo representa «O Pelouro». Se trata de un centro educativo considerado por la Xunta de Galicia de carácter singular que escolariza alumnos de todo tipo. En este colegio, niños y adolescentes entre los que se encuentran chicos con altas capacidades, autismo, síndrome de Down o con graves problemas de conducta expresan a través de la danza y la psicodramatización todo lo que llevan dentro. Es un magnífico ejemplo de atención a la diversidad en la práctica.

Regla número **19**

¿Reproches? NO, gracias

Tengo un amigo que es funcionario de prisiones y con el que charlo a menudo. Hace ya algún tiempo hablábamos sobre los motivos y las razones que habían llevado a la gente a la cárcel. Me dijo algo que me dejó muy sorprendido: «Allí todo el mundo es inocente, hables con quien hables, sea el delito que sea, todos piensan que están en la cárcel injustamente».

Todos creemos que llevamos razón

Las personas tenemos una tendencia natural a valorar positivamente nuestros actos. Si alguien roba, argumentará que lo hizo para mejorar su situación familiar; por el contrario, el que es objeto del robo dirá que ha trabajado duramente durante años para tener lo que tiene y por lo tanto nadie debe hurtárselo. Desde luego no puedo estar del lado del ladrón, pero ése no es el tema.

Seguramente a usted le ha ocurrido algo parecido a lo siguiente: como cada mañana, se dirige a su trabajo, circula con su vehículo por un itinerario conocido y va meditando en lo que tiene que hacer ese día. Le preocupa la discusión mantenida el día anterior con su hijo. Va pensando que quizá haya dicho alguna palabra poco conveniente, no está contento, seguramente se merecía la bronca, pero tiene que educarle, es su hijo.

De repente el coche que le precede frena en seco e, inmediatamente, usted reacciona y consigue parar el suyo. Alterado, baja la ventanilla y comienza a reprobar el comportamiento del otro conductor. Está indignado. «¡Cómo es posible que le puedan dar el carné de conducir a gente tan torpe!»

En realidad el otro conductor se ha visto también sorprendido. Un muchacho de unos 16 años, en su intento por no llegar tarde a clase, ha cruzado por un lugar inadecuado. No había otra; frenar o atropellarlo. Pero eso usted no lo ha visto, no lo sabe. Usted cree que tiene toda la razón y su cabreo es monumental.

EL REPROCHE

En este momento entra en escena un perverso enemigo: el reproche. Sin dudarlo, comenzamos a cargar contra «el otro». A veces no volvemos a ver a esta persona, pero ¿qué pasa cuando esta persona es un compañero de trabajo, nuestra pareja o nuestro hijo?

El reproche hiere, genera malestar, es un ataque personal. No conozco a nadie al que le guste que le reprochen, ni tampoco a nadie que tras un reproche sea más feliz. La mayoría de las personas sufren cuando son reprochadas.

¿Por qué se reprocha con tanta frecuencia, en tantas ocasiones, y a tantas personas? La respuesta está clara: porque **creemos que tenemos razón,** pensamos que estamos en posesión de la verdad y no nos importan los motivos ni las razones de los demás. Se podría decir que el reproche surge por una falta de empatía. Es mucho más fácil atacar al prójimo que intentar comprenderlo.

Nuestro organismo está diseñado de esta manera. Desde hace miles de años nuestro cuerpo ante la sorpresa o el peligro emite una de estas dos respuestas: **huida o enfrentamiento.**

Como es natural, en el mundo actual, las peleas no acostumbran a ser con piedras ni con palos. Mayoritariamente nuestras rivalidades son verbales, pero éstas pueden herir y dañar mucho más profundamente que un buen mamporro.

Cada vez que reprochamos algo a alguien, le estamos asestando un golpe moral. La persona agredida nos la guardará durante mucho tiempo. Piénselo bien antes de atizar.

LAS CADENAS TÓXICAS

Antes de entrar en materia, conviene ser consciente de que a los chicos de estas edades no hay cosa que más les guste que poner en valor su nueva herramienta: «la dialéctica».

El enfrentamiento verbal es para ellos como un entrenamiento. Da igual el tema, la hora o la ocasión, tratarán de llevar la razón. Esto puede ser muy cansino. ¿Recuerdan cuando su hijo tenía tres años y no paraba de preguntar por qué esto, por qué lo otro?; pues bien, ahora tiene unos cuantos años más y de nuevo van a tener que armarse de paciencia.

El enfrentamiento comienza de una manera muy simple. Puede ser algo como lo siguiente:

Madre: Juan, haz la cama.
Juan: Ahora voy.
Madre: Por favor, Juan, te he dicho que hagas la cama.
Juan: Ya, ya, qué prisa hay.
Madre: Pero cuántas veces tengo que repetírtelo.
Juan: Dios, qué pesadez.
Madre: Vengo cansada de trabajar todo el día, sólo te pido que hagas un par de cosas y ni así.
Juan: Yo también estoy cansado, ¿qué pasa, que sólo curras tú?
Madre: Daba gusto cuando eras un niño, obedecías y no hacía falta repetirte las cosas.
Juan: Es que ya no soy un niño.
Madre: Eres un desagradecido, tu padre y yo nos deslomamos a trabajar y recibimos como pago malas contestaciones y negativas.
Juan: Lo siento mucho, no haberme parido.
Madre: Anda que lo que hay que oír.

Juan: Después te quejas si saco malas notas, pero no me dejas en paz.
Madre: Venga, déjalo, ya haré yo la cama.

Han transcurrido 10 minutos, la cama sigue sin hacer y madre e hijo están dolidos. ¿Hemos conseguido nuestros propósitos? Cuando vuelvan a hablar Juan y su madre ¿estarán receptivos a comunicarse? ¿Al día siguiente se repetirá la escena?

Desafortunadamente, esta y otras conversaciones similares lo único que consiguen es que las personas nos vayamos desconectando, entremos en «modo *off*» y esperemos la próxima refriega con el cuchillo entre los dientes.

Analicemos detenidamente el diálogo. La madre comienza de modo imperativo: «¡Haz la cama!». Busca una única respuesta, que Juan diga que sí. Pero Juan no está por la labor de acatar pasivamente órdenes. Juan cree que es el rey de la casa y al rey no se le dan órdenes.

Lamentable o afortunadamente, las familias no funcionan por una cadena de mando como el ejército. La afectividad inherente a una relación tan personal como la que se produce en el ámbito familiar impide que las órdenes sean acatadas sin más.

Puede que en otro tiempo, cuando alguno de nuestros progenitores nos mandaba hacer algo, lo hiciéramos al instante, incluso nos sintiéramos bien al satisfacer los deseos paternos. Pero esto ha cambiado, y mucho. Conozco a muy pocas personas a las que les guste recibir órdenes.

Lo que ahora nos importa y en lo que nos vamos a centrar es en los reproches. El diálogo anterior está lleno de ellos. La madre frustrada por no ser obedecida inicia una cadena tóxica de reproches, y frase tras frase se van acumulando agresiones verbales. El asunto no puede acabar bien.

¿Cuál es la respuesta a un reproche? Podemos obtener del chico **dos tipos de respuestas: pasivas o agresivas.** Es decir, el muchacho puede «pasar de nosotros», no hacer caso a nuestra orden y seguir enganchado al ordenador, por ejemplo, o bien puede responder con reproches propios, como en el caso que nos ocupa.

La respuesta pasiva o la ausencia de respuesta evita la confrontación. Al actuar de esta manera, el reprochador se va cansando, poco a poco va perdiendo intensidad y firmeza su tono de voz y acaba por claudicar. Parecería un modo sagaz de evitación de conflictos, pero esto es sólo en apariencia.

Lo cierto es que cuando se repite la respuesta de evitación, la persona va acumulando «bilis». Puede que tarde más o menos tiempo, pero seguro que más temprano que tarde el chico «explotará». Las consecuencias en este caso son imprevisibles, pues la ira acumulada durante mucho tiempo puede parecerse mucho a la lava que repentinamente sueltan los volcanes. En definitiva, se desencadenará una tormenta de efectos imprevisibles.

Cuando las cosas suceden de esta manera, los reproches pasan a un plano más personal, son ataques verbales al centro de gravedad de nuestro ser: «No eres una buena madre, no hay quien te aguante, no me extraña que papá se marchara, ya no tienes amigas por lo pesada que eres», etc.

Las heridas de este tipo son muy profundas, tardan mucho tiempo en cicatrizar y difícilmente quedan curadas. Está de más comentar que las heridas abiertas pueden infectarse y en ocasiones debe de recurrirse a la amputación. Cuando las relaciones han llegado a este punto, es muy difícil reconducirlas.

Créanme: si su hijo soporta estoicamente sus reproches, es que algo muy gordo va a suceder. No se envalentone echando más leña al fuego: cuanta más eche, más fuerza tendrán las llamas.

¿QUÉ SUCEDE CUANDO LA RESPUESTA DE NUESTRO HIJO ES AGRESIVA, NOS CONTESTA CON MÁS REPROCHES?

¿Recuerdan cuando montaron en una montaña rusa? Algo parecido ocurre en el terreno psicológico. Cuando reprochamos, bajamos la montaña a toda velocidad, nos despeinamos, aceleramos, nos sube la adrenalina y todo nuestro organismo está al máximo de sus exigencias. Esto sucede cuando nosotros emitimos el reproche. Por el contrario, cuando sufrimos un reproche, es como si estuviéramos subiendo la montaña, nos sentimos lentos, impotentes, nos cuesta enormemente levantar la cabeza.

Durante la ascensión estamos acongojados, expectantes, paralizados. Durante el descenso estamos eufóricos, desatados, activos. Esto es lo que nos pasa cuando la cadena tóxica de reproches comienza a desarrollarse.

El reproche es como una herida leve. Con una vulgar tirita podemos, en pocas horas, curar la zona afectada. Pero tenga cuidado, muchas heridas leves pueden ser causantes de males mayores.

En uno u otro caso, sea la respuesta de nuestro hijo pasiva o agresiva, se ha producido un daño. Este mal va a afectar al pivote de las relaciones humanas: la comunicación.

LOS DEMOLEDORES EFECTOS DEL REPROCHE

El reproche pone a su hijo a la defensiva. Cuando usted lo recibe, pasa exactamente lo mismo, adopta una posición defensiva.

En este punto la comunicación se paraliza. El efecto inmediato es que dejamos de escuchar. Cuando su hijo recibe un reproche, no piensa en sus deseos o en sus necesidades, piensa en defenderse.

Seguro que en muchas ocasiones usted ha pensado: mi hijo no me escucha, no presta atención a lo que digo, está como ausente, etcétera. Efectivamente todo eso ocurre, su hijo ha dejado de prestarle atención en cuanto usted ha empezado la cadena tóxica de reproches verbales.

Al ser atacado, su hijo tratará de justificarse. Concentrará sus energías en defenderse. Lo que para usted no es más que un comentario sobre una situación objetiva para él es una agresión. Cualquier intento de diálogo en estas circunstancias está condenado al más absoluto de los fracasos.

Hace ya algunos años un colega con el que mantenía una estupenda relación hizo una censura de uno de mis trabajos. Me sentí humillado, no podía entender cómo un colega y amigo podía haber exteriorizado de manera fría lo que pensaba sobre mí. Seguramente mi colega tenía razón, pero eso no me importaba.

En los meses siguientes apenas cruzamos palabra. Yo esperaba que en algún momento me pidiese disculpas porque estaba deseando retomar aquella amistad. Pero eso nunca ocurrió. Mi colega seguramente pensaba que su crítica era positiva para mi trabajo, cosa que no dudo, pero el efecto que había tenido había sido justamente el contrario.

La consecuencia fue inmediata, la comunicación se limitó a saludos corteses y poco más. Nos cruzábamos en los pasillos y apenas nos dirigíamos la palabra.

En muchas ocasiones pensamos que si hacemos una crítica constructiva la persona que la reciba mejorará en su trabajo o en su relación con nosotros. **Desafortunadamente, «crítica» y «constructiva» son términos antagónicos.** ¿Conoce usted algún reproche constructivo?

Comunicación implica aceptación del otro. Al emitir un reproche, lo que estamos haciendo es rechazando, no aceptando. Con nuestra actitud bloqueamos la comunicación. Pasamos de actuar como seres racionales a actuar como seres emocionales. Podemos estar cargados de buenas razones, pero ahora nuestro hijo no responderá de manera racional.

¿SE ACTIVA PRIMERO LA RAZÓN O LA EMOCIÓN?

No podemos sentir y razonar al mismo tiempo. Nuestro cerebro está altamente especializado. En realidad es como si fuéramos dos personas.

El hemisferio izquierdo del cerebro de las personas está especializado en funciones como la lógica, el lenguaje, el análisis, el razonamiento o la abstracción. Por el contrario, el hemisferio derecho lo está en funciones como la imaginación, el color, las emociones, la música o la creatividad. La manera en que se relacionan las dos partes de nuestro cerebro es una cuestión por descubrir. No se sabe muy bien si entre ellas se comunican, cooperan, se turnan o se inhiben. En realidad se sabe más bien poco de cómo interaccionan.

Habitualmente actuamos de manera racional. Cuando tenemos un problema, analizamos la forma de solucionarlo, planificamos las estrategias, valoramos las circunstancias, evaluamos los pros y contras, etc. La mayoría de las personas sometemos nuestras decisiones a un concienzudo estudio antes de ponerlas en práctica. Por decirlo de otra manera, actuamos fría y calculadamente. Nuestro cerebro racional se impone.

Entonces ¿qué le pasó a usted el día que iba con su coche pacíficamente y de repente se vio envuelto en una agria discusión con otro conductor?

Los estímulos que reciben nuestros sentidos son procesados, normalmente, por nuestro cerebro racional, el neocórtex. Pero en ocasiones esto no es así. Cuando nos sentimos agredidos, **la información llega antes a nuestro cerebro emocional** que a nuestro cerebro racional.

Lo que sucede es que retrocedemos más de 100.000 años. En vez de planificar y diseñar racionalmente la respuesta, emprendemos la huida o comenzamos la lucha. Efectivamente, nos comportamos como neandertales.

Somos incapaces de controlarnos. La ira nos puede y agredimos verbalmente, a veces incluso físicamente, a nuestro interlocutor. Como no razonamos, tampoco nos importan las razones de los demás. Elegimos la lucha antes que el diálogo. Les suena, ¿verdad?

Seguramente se hayan sentido mal por las cosas que dijeron ese día. Probablemente sientan culpa de haber proferido insultos y palabras gruesas. Se arrepintieran de salir del coche acaloradamente, o en un momento de frustración y rabia agredir a la otra persona. Pero **seguirán pensando que tenían razón,** que sus impulsos fueron debidos a la actuación de los otros. Ha sido provocado, ¿qué podía hacer?

UNA VICTORIA PÍRRICA

Puede que tras muchos tiras y aflojas la madre consiga que su hijo le obedezca. Al fin y al cabo, ésa es la cuestión. O puede que pase todo lo contrario, que el muchacho aguante el chaparrón y logre que la madre se canse. Sea como fuere, **uno de los dos sentirá que ha ganado y el otro que ha perdido.** Una victoria pírrica en ambos casos.

Pirro era un general belicoso entregado en cuerpo y alma a la guerra. Ha sido considerado uno de los militares más grandes de la historia, pero también le cabe el dudoso honor de ser origen de la célebre frase «victoria pírrica».

En el siglo III a. de C., los ciudadanos de Tarento, antigua colonia griega al sur de Italia, pidieron ayuda a los epirotas ante el temor de ser invadidos por los romanos. Pirro acudió al auxilio del pueblo tarentino con un ejército de unos 26.000 hombres. Tras la primera batalla con los romanos, sufrió unas 4.000 bajas por 7.000 bajas romanas. Un año más tarde tuvo lugar un segundo enfrentamiento cuyo resultado fueron unas 3.000 bajas en el ejército de Pirro por unas 6.000 bajas en el romano. Alguien cercano al genial general le felicitó por sus victorias frente al mayor contingente enemigo, pero Pirro le contestó: «Sí, otra victoria como ésta y estaremos perdidos».

Tanto en la guerra como en las relaciones personales, a veces el que gana pierde y el que pierde gana. Piénselo.

La mayoría de las personas creemos que hacemos las cosas bien.

Defendemos nuestros puntos de vista en la seguridad de que son los ciertos. Aunque por fuera manifestemos que estamos dispuestos a escuchar y sopesar el punto de vista de los demás, la verdad es que **raramente cambiamos de opinión**. Anteponemos nuestras razones a cualquier otra circunstancia.

Cuando criticamos a otra persona, despertamos en ella rencor. Por medio de la crítica no conseguimos cambios en los demás. Lo que queda tras un reproche es malestar y resentimiento.

Esta forma de comportamiento propicia que entremos en lucha cuando nuestras creencias son atacadas. Imagínese una discusión sobre política, religión o fútbol, sin ir más lejos. ¿Cuántas personas conocen que hayan cambiado de opinión tras una larga y tediosa disputa?

De acuerdo, **usted tiene la razón ¿y qué?** Probablemente haya conseguido una victoria pírrica: su hijo le esperará y en la próxima ocasión contraatacará con más virulencia. Poco a poco se irá desgastando.

Usted elige, o una comida con sus hijos llena de silencios y monosílabos o un momento de esparcimiento donde padres e hijos hablan de sus vidas, de sus sentimientos, de sus miedos, de sus frustraciones, de sus ilusiones, etc.

Cuando nos sentimos juzgados, evitamos la comunicación. **Los reproches son juicios negativos.** Consiguen bloquear cualquier tipo de conversación aun antes de haberse iniciado.

Veamos otro ejemplo de diálogo poco formativo:

Padre: ¿Qué tal hoy en el instituto?
Hijo: Bien, bien.
Padre: Pero ¿qué has hecho?
Hijo: Nada especial, lo habitual.
Padre: Siempre que te pregunto por lo que haces me contestas lo mismo; luego dicen que no nos preocupamos por vosotros.
Hijo: Es que siempre hacemos lo mismo.
Padre: Digo yo que no será lo mismo todos los días. A veces me pregunto si os enseñan algo en la escuela.
Hijo: A estar callados, papá, a estar callados.
Padre: No hay quien pueda contigo, dale más volumen a la televisión a ver si me entero de algo.

Seguramente este padre está deseoso de entablar conversación con su hijo. Fatigado, tras una jornada agotadora, su pretensión es simple: charlar distendidamente con su familia. Sin embargo, la conversación apenas ha comenzado cuando se bloquea. ¿Qué ha pasado?

El padre comete **dos errores de comunicación.** El primero es comenzar con una pregunta vaga, difusa. Inicia el diálogo como lo haría con un conocido. A preguntas vagas, respuestas vagas.

El segundo, y más grave, error de comunicación son los reproches. Frustrado por no encontrar una respuesta satisfactoria, el padre recurre a la censura. A partir de ese momento su hijo no dialoga, se defiende.

Hace poco una teleoperadora me llamó. El asunto era que había devuelto el banco un pago de un seguro de hogar. Lo primero que hizo, después de saludarme cortésmente, fue reprocharme que no hubiera comunicado a la empresa que no me interesaba el seguro. Le respondí educadamente que no había recibido aviso, y que cuando vi la cuantía del nuevo seguro di orden a mi banco para que no lo pagara. En ese momento soltó su segundo reproche: me dijo que los seguros se actualizaban de forma automática y que yo debería saberlo.

Herido en mi orgullo, le contesté que no tenía ni idea, pero desde luego lo que sabía era que no sólo no iba a renovar el seguro sino que en las próximas fechas iba a retirar el otro seguro que tenía con ellos, el del coche, cosa que hice a las pocas semanas. Con esta afirmación di por terminada la conversación.

Si la teleoperadora me hubiera preguntado qué había pasado, me hubiera hecho una nueva propuesta de seguro o simplemente se hubiera preocupado por lo que pudiera haber ocurrido para que devolviera el recibo al banco, seguramente las cosas habrían sido de otra manera.

Los reproches anularon toda posibilidad. Con ellos no conseguimos lo que queremos, más bien todo lo contrario. Si usted quiere que su hijo haga la cama, sea aplicado en los estudios, ayude en las tareas del hogar, tenga aficiones positivas o practique deporte, evite los reproches. **El reproche tiene el mismo efecto que un castigo,** y los castigos no educan.

Si usted pretende un diálogo franco y sincero con sus hijos, trague saliva, muérdase la lengua, cuente hasta cien, haga cualquier cosa, pero EVITE LOS REPROCHES.

Regla número **20**
Tome el mando

Periódicamente nos asaltan noticias sobre adolescentes que acosan y maltratan a sus progenitores hasta que éstos, cansados y desesperados, optan por denunciarlos a la justicia. ¿Quiénes son? ¿Existe un perfil del adolescente maltratador? ¿Por qué se produce?

El incremento de este tipo de casos es exponencial. Se puede hablar de que las denuncias en España se han doblado desde 2005. Pese a que las comunidades autónomas han puesto en marcha programas para paliarlo, estamos ante un problema que, lejos de corregirse, parece haberse desbocado.

El espectro de edad es muy amplio; si antes se concentraban los casos entre adolescentes de entre 14 a 18 años, ahora se constatan denuncias sobre chicos más jóvenes, en ocasiones menores de 12 años.

Conviene diferenciar entre el adolescente que tiene diagnosticado un trastorno de conducta o un trastorno de personalidad y aquel que maltrata simplemente para asumir una posición de poder en la familia, lo que Javier Urra definió acertadamente como «el pequeño dictador».

Cuando existe una patología, el maltrato es una consecuencia y no solamente afecta a los padres. En estos casos no cabe más salida que la intervención médica y psicológica. No existen datos de cuántas denuncias se refieren a chicos con trastornos de conducta o personalidad, pero parece que el grueso de adolescentes maltratadores lo formarían el grupo de los pequeños dictadores.

LO QUIERO, LO TENGO

En una sociedad que rinde culto al consumo, la satisfacción se identifica con el poseer cosas. Por lo tanto, cuantos más objetos tenga el adolescente más feliz se supone que será. Esta forma de ver la vida hace que el adulto se preocupe por complacer cada capricho que tiene el chico en el menor tiempo posible. Cuando no es factible satisfacer las demandas, el adolescente desentierra el hacha de guerra y se inicia un proceso virulento de exigencia de sus peticiones.

Los adultos que optan por ceder al chantaje son víctimas potenciales de maltrato. Prefieren, con la entrega de objetos, evitar un conflicto sometiéndose de ese modo a las imposiciones del hijo, craso error.

Desafortunadamente lo que consiguen es todo lo contrario: el muchacho se ve reforzado en su forma de actuar (al fin y al cabo ha conseguido lo que quería) y la próxima vez volverá con más fuerza, si es niño con peores rabietas, y si es adolescente agrediendo verbal o incluso físicamente hasta conseguir lo que quiera.

Usted no tiene por qué dar explicaciones ni justificarse. Si entiende que no es el momento de tener tal o cual cosa, simplemente no se la dé. **Ignore el comportamiento manipulador:** los niños usan las pataletas (especialmente en espacios públicos), y los adolescentes, las palabras (todos lo tienen, eres una mala madre, me das pena...).

Si su hijo desea algo, ha de esperar para obtenerlo, pues dárselo sin más lo hará más débil. Acostumbrado a tener lo que desea, tratará de hacer lo mismo en la calle y con los amigos. Su comportamiento sólo le traerá problemas, enturbiando sus relaciones personales. Al final buscará personas sumisas o personas que sean como él/ella para poder mangonearlas.

Manténgase firme, imperturbable. Si ha dicho que NO, es NO. Si no lo hace de esta manera, espérese lo peor más temprano que tarde. Su hijo no va a ser más feliz por tener lo que exige, en realidad le importa un «pepino», lo que realmente desea es ganarles el pulso, someterlo.

ME APETECE Y LO HAGO

Al no fijar límites a las excéntricas peticiones de los hijos, se tambalea la autoridad. Un adolescente acostumbrado a hacer lo que quiere, cuando quiere y como quiere, no respeta ningún tipo de jerarquía.

Socavada la moral de los progenitores, el joven se resiste a obedecer a las personas que representan la autoridad. Esto es muy visible en el ámbito académico, al producirse desafíos al profesorado, cuando no insultos y vejaciones. Se inicia, de esta manera, un proceso de expulsión del centro que manda de vuelta al adolescente a casa, reproduciéndose la situación.

Los padres han de cuidar, con especial mimo, lo que representan las figuras de autoridad. No es de recibo que se quejen de las vacaciones o el estatus de los profesores y luego quieran que les respeten. Si su hijo le escucha hablar mal de las figuras de autoridad, dé por seguro que no las respetará.

En torno a los tres años de edad aparecen las primeras manifestaciones de rechazo a las órdenes y mandatos del adulto. Los niños inician conductas oposicionistas que en muchas ocasiones pasan por simples gracias, pero de graciosas no tienen nada. Con su actitud, los infantes tratan de hacerse con el mando; la finalidad es que todo gire en torno a ellos. Si usted está hablando por teléfono y su hijo le requiere insistentemente para que le haga caso, cuidado, no es algo inocente, no lo tome a la ligera.

Recientemente tuve que hacer un desplazamiento y opté por hacerlo en AVE. Todo transcurría con plácida calma hasta que en una estación se subió al tren una pareja joven con dos hijos de corta edad, calculé que tendrían tres y cinco años respectivamente. A los cinco minutos de remprender la marcha los niños se levantaron y comenzaron a correr por los pasillos del tren; no contentos, iniciaron una suerte de juego que consistía en lanzarse todo tipo de objetos; como se pueden imaginar, su puntería no era buena y algunos viajeros sufrieron las consecuencias.

La madre de los niños los reprendía, pero como si sonase el *Angelitos negros* de Machín. El padre los iba a buscar, pero una y otra vez se zafaban, con astucia, de sus brazos. Cansados, dejaron que las tiernas criaturas camparan a sus anchas... y así dos horas de tren. Ni en una sola ocasión vi en las caras de los padres preocupación, lo que observé fue resignación.

Sí a estas edades eran incapaces de controlar a sus hijos, me pregunto: ¿Qué sucederá cuando lleguen a la adolescencia? Mejor no imaginarlo.

DA IGUAL, YA ME LEVANTARÁN EL CASTIGO

Parece que no es moderno castigar, y, no siendo aconsejable como medida habitual, no se trata de humillar. El castigo no se debe confundir con el maltrato. El debate está en la calle: ¿Dónde está el límite para castigar a los hijos?

Una queja frecuente de los padres es la poca efectividad que acostumbran a tener los castigos en sus hijos adolescentes. ¿Cuándo poner en práctica un castigo? ¿Cómo saber si se está haciendo lo correcto? ¿En qué momento se debe castigar?...

Una idea previa muy importante es que el castigo per se no es útil, no enseña nada, más bien todo lo contrario: genera hostilidad. La parte castigada, es decir, el chico, sentirá la sanción como una afrenta. Humillado y herido en su amor propio, el adolescente interioriza que no se le quiere y esto puede ser más negativo que la supuesta corrección de lo que ha hecho mal.

Seguramente cuando su hijo era pequeño en alguna ocasión recibió un azote. Probablemente ese contacto físico, apenas perceptible, les dolió más a ustedes que a él. El niño, sorprendido, quedaría mudo unos instantes para iniciar seguidamente un llanto, sordo; afectado por su acción, no tardaría mucho tiempo en buscarles e intentar, más pronto que tarde, conseguir de nuevo su afecto.

Pero el adolescente es orgulloso, está despegando de su familia y los azotes (reales o virtuales) no van a hacer que se gire y busque su afecto. Por el contrario, sentirá el castigo como un rechazo, como una falta de confianza y sobre todo como algo inútil a lo que se opondrá activa o pasivamente.

ERRORES A EVITAR CUANDO DECIDA ACTIVAR EL CASTIGO

1. Improvisación

A menudo, cuando el adolescente se «salta una norma», tendemos a responder inmediatamente, es humano y comprensible. El caso es que solemos actuar «en caliente»; indignados por su comportamiento, ni le dejamos explicarse ni, aunque lo haga, estamos en disposición de escucharle. La situación acostumbra a terminar mal para todos. ¿Se imagina que los jueces procediesen de este modo? Resulta difícil, pero esperar un rato a que todo se calme ayuda a tomar mejores decisiones.

A fin de evitar la improvisación, es conveniente que estén previstas las consecuencias que temas como llegar tarde a casa, malas notas, mal comportamiento, etc., pueden tener para el adolescente. No se trata de crear una especie de código penal, pero sí que queden claros los efectos de una mala acción.

Por ejemplo podemos establecer qué pasará si recibimos una llamada del instituto alertando del mal comportamiento de nuestro hijo. Si al adolescente le queda claro que ante una situación como ésta nos vamos a poner del lado del profesor, seguramente se lo pensará dos veces antes de contestar mal o negarse a hacer las tareas.

2. Inconsistencia

La mayoría de las veces que imponemos, de manera impulsiva, un castigo, no llega a ejecutarse en su totalidad. Probablemente el calentón del momento haya hecho que la sanción sea desproporcionada. Imaginemos que el chico ha llegado tarde a casa; nada más entrar por la puerta le reprochamos su conducta y le sancionamos con tres meses sin salir de casa, ¿les suena?

Desafortunadamente en tres meses pasan muchas cosas. Imagínese que a las dos semanas es el cumpleaños de su mejor compañero y hace tan sólo unos meses él vino al cumpleaños de su hijo. ¿Le mantenemos el castigo? ¿Hacemos una excepción y al día siguiente sigue castigado? ¿Nos echamos atrás en nuestra voluntad de que cumpla íntegramente los tres meses de pena?

Volverse atrás en una decisión resta a los padres credibilidad y hace dudar a los adolescentes, así que es importante que intentemos no llegar a este final. La mejor manera de que no pase es meditar con calma las consecuencias de la conducta indeseada.

En el caso anterior debemos tener en cuenta si ha sido un pequeño retraso de cinco minutos o bien un retraso considerable, pongamos una hora. También debemos considerar si el adolescente es reincidente o se trata de algo esporádico. En función de estas variables, podemos castigarle con más justicia. Una buena solución sería pedirle que en los próximos días llegue a casa una hora antes; de esta manera no nos veremos en la tesitura de rectificar al cabo de un tiempo.

3. EL PAPEL DE LAS EMOCIONES

Habitualmente subestimamos los **efectos emocionales del castigo.** Cuando discutimos con nuestro hijo, estamos lanzados, eufóricos, desatados, pero con el paso de las horas y los días vamos relajando nuestra manera de percibir lo que ha hecho.

De manera inconsciente comenzamos a relativizar la acción que causó el castigo: «son cosas de la edad», «va a pensar que soy un ogro»; en casos extremos, «¿me querrá después de castigarlo?».

Con lo que no contamos es con que el adolescente percibe nuestra debilidad, y que de este modo se inicia un círculo peligroso de manipulación emocional.

Jugar con las emociones en el contexto de un castigo puede ser altamente pernicioso. Los adolescentes pueden adoptar la actitud de que no les afecta que les quiten el móvil, les dejen sin salir o les prohíban ponerse determinada ropa. Muchos padres se desesperan: «parece que todo le da igual», «he probado de todo y sigue sin limpiar su habitación», «lleva tres semanas sin el ordenador y no pasa nada», etc.

Efectivamente el castigo se vuelve en contra de los padres; ahora es el adolescente quien está, con su actitud pasiva, castigándolos a ellos. Ya conocemos los efectos de la resistencia pasiva; véase si no la vida de M. Gandhi. La venganza es un plato que se sirve frío y el adolescente aprende que «pasando» va a producir un daño emocional mucho mayor a sus padres que el castigo recibido.

Lo más recomendable es sentarse con su hijo, analizar pausadamente la situación y llegar a un acuerdo sobre la sanción que merece la conducta del chico. Se trata de **castigar el comportamiento indeseado, NO a su hijo.** Dicho de otro modo, el castigo ha de centrarse en la acción punible haciendo ver al chico lo incorrecto de su comportamiento.

En ningún caso ha de quedar la sensación de que se castiga a la persona sino su conducta.

En este sentido deben evitarse frases como «nos has decepcionado», «confiábamos en ti», «no me lo esperaba», «nos preocupamos y mira cómo nos respondes», «a partir de ahora van a cambiar las cosas», etc. Este tipo de sentencias inciden en la línea de flotación de la persona, la humillan y sobre todo no consiguen su propósito.

Cuando castiguen, no, **repito, NO** hagan comentarios sobre la persona, limítense a hablar sobre su comportamiento.

4. INCONCRECIÓN

Afirmaciones como «pórtate bien», «sé bueno», «estudia», «aprovecha el tiempo», etc., son meros brindis al sol, están desprovistas de contenido. **¿Qué es portarse bien?** Estar callado, por ejemplo.

En algunas circunstancias será conveniente estar callado, y será considerada una buena conducta, pero en otras puede ser todo lo contrario. Pongamos que el adolescente está en el aula de clase; si le insistimos en que la buena conducta es estar callado, probablemente cuando tenga que intervenir no lo va a hacer o lo hará incorrectamente.

Otro ejemplo: cuando le decimos al chico «estudia», ¿a qué nos referimos? Estudia puede significar: preparar el espacio de trabajo, organizar los materiales, leer comprensivamente, hacer los deberes, planificar el tiempo en función de las tareas, buscar información en internet, etc.

Por lo tanto es mejor referirnos a una tarea específica que queremos que el chico realice a una vaguedad como «estudia». De esta manera evitaremos entrar en discusiones estériles con nuestro hijo, puesto que puede respondernos «si ya he estudiado», es decir, con otra vaguedad.

Al repetir mensajes como los anteriores «estudia», «sé bueno», la información pierde valor y acaban por no significar nada.

Si concretamos la conducta que esperamos del adolescente, luego podemos exigirle su cumplimiento. Si además conoce las consecuencias de no llevarla a cabo, no precisaremos castigarle, él mismo sabrá que no ha hecho su tarea y por consiguiente las consecuencias de su conducta.

El castigo, si es proporcional y justo, educa. Si por el contrario es exagerado, juega en su contra.

Y no tenga miedo a imponer castigos si fuera necesario, ¿o acaso cree que si usted reiteradamente llega tarde al trabajo le van a felicitar?

¡QUÉ PASA, COLEGAS!

Las comunas hippies de los setenta se basaban en la ausencia de jerarquías. No seré yo quien critique esa estructura relacional. Usted puede optar por este tipo de modelos, nada se lo impide, pero piense bien si es eso lo que quiere.

Cuando los pisos tenían más de 70 m² y toda la familia habitaba el mismo espacio, eran los abuelos quienes ejercían de patriarcas; a ellos estaban subordinados sus hijos, y a éstos, sus nietos. Esos tiempos han pasado; no digo ni mucho menos que fuera una situación ideal, pero sí que las jerarquías estaban delimitadas y con ello se aseguraba la transición del poder.

Al igualarse el adolescente a sus padres, se rompe el sistema. Los padres han de ejercer como tales, tienen la obligación de educar y también de sancionar si no son obedecidos. Al convertirse en colegas, todo esto no es posible. El padre o la madre colega pierde su identidad como educador, se resquebraja su función y está a merced de los caprichos de su hijo.

Piense que si actúa como amigo y no como padre o madre, luego será difícil que su hijo le respete como tal. Cuando trate de darle una orden, el chico se rebelará, se sentirá decepcionado y no obligado a cumplirla; al fin y al cabo entre amigos no hay mandatos. **Desconfíe cuando alguien le diga que es amigo de su hijo o hija,** pues probablemente lo que quiera decir es que se llevan muy bien y que se cuentan las cosas, pero esto no es amistad, es complicidad.

Usted elige: o irse de copas con su hijo y sus amigos o mantener el estatus de padre o madre. No se equivoque; si escoge la primera opción, después no se sienta decepcionado cuando su hijo se niegue a aceptar sus requerimientos.

Usted no puede consentir que su hijo lleve la batuta. Si hoy toca macarrones para comer, se comen macarrones. Si toca esperar al mes que viene para comprar unos pantalones, se espera. Si hay que hacer la cama antes de marcharse al instituto, se hace. En definitiva, toca tomar el mando, o es padre/madre o es colega, las dos cosas son incompatibles.

Ni comunas hippies ni modelos decimonónicos. Aplique el sentido común.

YA LO HARÁ MI MADRE, ES SU OBLIGACIÓN

Muchas madres y padres parecen no caer en la cuenta de que se han convertido en la señora de la limpieza o el cajero automático más próximo. Enardecidos porque la comida les ha quemado la lengua, algunos adolescentes son capaces de proferir todo tipo de improperios hacia sus acongojados padres, por ejemplo.

Y, lo que es peor, ante esta situación los padres sienten culpabilidad. Convencidos de que no han hecho bien las cosas, algunos se culpan de no poder dar más dinero a sus hijos, no ser capaces de regalarles el móvil de última generación o no poder comprarles ropa de marca. Créanme, lo he visto, ojiplático, claro.

Las conductas abusivas no tienen fin; cuando el adolescente consigue lo que se propone, no para, y recurrirá a la más baja estrategia para conseguir la siguiente. No dudará en manipular sus sentimientos si con ello alcanza sus objetivos. Usted cada vez se sentirá más débil, y es su debilidad lo que alimenta al manipulador.

Algunos padres terminan claudicando y para evitar mayores conflictos no dudan en hacer ellos lo que no les corresponde. Intimidados emocionalmente, y a veces físicamente, no logran hacerse respetar.

Usted administra su casa como mejor le parezca. No es el esclavo/a de su hijo. Sus obligaciones las determina usted, nadie más. No piense que si le hace las cosas, el chico y usted serán más felices; seguro que no lo van a ser.

Acostumbre a su hijo desde pequeño a tener en orden sus cosas. A los dos años un niño puede y debe ayudar a recoger los juguetes que ha tirado, y mientras no suceda, no se pasa a otra cosa. Si su hijo adolescente no quiere hacer la cama o se niega a participar en las labores del hogar, no le planche la ropa, no le recoja la ropa, no le compre el gel que le gusta, no haga nada hasta que cumpla sus obligaciones.

Usted determina las obligaciones, no permita que su hijo tome el mando.

Regla número **21**
Detecte situaciones excepcionales

Cada cierto tiempo, los medios de comunicación informan sobre algún suceso relacionado con el acoso escolar. Noticias como «cuatro adolescentes de Gijón, denunciadas por acosar a una compañera que se suicidó»[1] saltan a las páginas de los periódicos alertando de un fenómeno invisible, que en ocasiones puede tener un fatal desenlace.

Lo primero que llama la atención es que se mencione uno de los temas tabús de este país, «el suicidio»; eso sí, la noticia no era el hecho de que una joven acabe con su vida, la noticia era que cuatro compañeras del instituto habían sido denunciadas.

A los que ya peinamos canas

nos viene a la cabeza, cada vez que sale la noticia de un adolescente acosado, el caso Jokin (2004), un joven vasco que comenzó a ser hostigado después de sufrir un problema intestinal que le llevo a realizar sus necesidades en clase. A partir de ese momento comenzó su calvario particular de humillaciones.

Traigo a colación el tema de Jokin Ceberio por su trascendencia mediática y por ser considerado el primer caso de acoso escolar con resultado de muerte. Durante varias semanas las tertulias de las radios y las televisiones no pararon de hablar de ello. Tratando de repartir culpas, se habló de la responsabilidad de los profesores, de las actitudes de los padres, de la sociedad en su conjunto, etc. Sea como fuere, al cabo de pocos días los tertulianos encontraron

---

[1] http://www.farodevigo.es/sucesos/2013/04/20/cuatro-adolescentes-gijon-denunciadas-acosar-compañera-suicido/794825.html.

otro tema de debate y Jokin fue olvidado.

Existe un **perfil del acosador escolar,** lo que es más variable es el perfil del acosado. Por esta razón conviene que los padres sepan detectar a tiempo situaciones potencialmente peligrosas de acoso en sus hijos a fin de poder poner los medios necesarios para su solución.

Con estas cinco claves espero tengan un material mínimo para estar en guardia si su hijo fuera objeto de acoso en algún momento de su vida.

PRIMERA: EL ENEMIGO INVISIBLE

Que no se vea no quiere decir que no exista: el acosador no deja huellas ni marcas. Excepto en casos especiales de palizas, el acosador no suele emplear la fuerza física. El acoso suele ser psicológico, se trata de ir minando la fortaleza de la víctima mediante la humillación, el menosprecio y la vergüenza. Es por esta razón por la que el chico o la chica acosados no hablan de ello en casa.

El daño psicológico será directamente proporcional al tiempo de acoso transcurrido. El adolescente víctima de humillaciones autogenera un sentimiento de indefensión del que no sabe cómo ni cuándo salir. Como consecuencia, se sentirá angustiado al no saber cómo afrontar el problema solo.

Al vivir atemorizada, la víctima experimenta un constante estado de inquietud y desasosiego. Incapaz de confiar en los demás por temor a las represalias, se encerrará en sí mismo y desatará todo tipo de miedos racionales e irracionales. **En casos graves, la situación puede desembocar en un proceso depresivo.**

La autoestima del acosado cae en picado. Si usted observa que su hijo se siente triste e inapetente, intente averiguar lo antes posible qué está aconteciendo en la vida del muchacho. No dude en vigilar sus relaciones personales y sobre todo busque señales en internet o en el móvil de posible hostigamiento. Es probable que amigos o conocidos del adolescente hagan comentarios significativos en las redes sociales; esté atento diariamente a los movimientos que se produzcan en este medio.

No espere ver señales físicas, difícilmente las encontrará. Busque otro tipo de indicios. Una buena estrategia para conseguir que nos hable del tema es contar que a usted o a otros también le ha pasado.

Se trata de que el chico se sienta identificado con alguien que ha pasado por la misma situación. Por ejemplo, usted puede relatarle (aunque no sea real) que estando en el colegio un chico mayor le obligaba a darle unas monedas todas las semanas. Una vez que haya concluido, dígale cómo lo solucionó. Es importante que visualice que su problema es más común de lo que cree y, sobre todo, que usted sabe cómo acabar con él.

SEGUNDA: ATENTOS A LOS CAMBIOS DE HUMOR

Durante la adolescencia son frecuentes los cambios de humor, por lo que puede pasar inadvertido el problema. La excesiva preocupación por estos cambios no es recomendable, pero tampoco lo es atribuir cualquier cambio a la etapa por la que está pasando.

Cuando un adolescente es denigrado, suele sentirse triste y abatido; no obstante, a veces es todo lo contrario.

En ocasiones la agresividad con la que es tratado por su acosador es proyectada sobre la propia familia. Malas contestaciones y un carácter repentinamente huraño nos pueden poner sobre la pista de algo más grave.

La agresividad puede confundirse con la mala educación, y de hecho hay una delgada línea que las separa. La diferencia estriba en si **después de un episodio agresivo el adolescente se siente culpable o por el contrario se reafirma en los argumentos que dieron lugar a la acción.** A todos se nos ha llenado la boca en alguna circunstancia, pero si ha sido fruto de un impulso descontrolado lo reconocemos poco después y pedimos disculpas.

Otra posibilidad es que el chico alterne momentos eufóricos con otros de decaimiento. Atribuir estos cambios, muchas veces repentinos, a la personalidad no suele ser certero. Las alteraciones emocionales frecuentes son más propias de estados de angustia que de características de personalidad, a no ser que estemos hablando de enfermedades mentales, claro está.

En todo caso, sea por exceso o por defecto, los cambios de humor son fácilmente perceptibles. Si usted los detecta, no deje pasar el hecho sin más, investigue su causa, puede que un acosador esté al acecho.

TERCERA: LA COMUNICACIÓN NO VERBAL, HABLAMOS CON NUESTRO CUERPO

Aunque le resulte difícil creerlo, el lenguaje apenas representa el 10% de la comunicación total. El 90% restante lo comunicamos de manera no verbal, a través de nuestras manos, mirada, forma de andar, posición de los brazos, modo de sentarnos, etc.

La expresión verbal es producto de la reflexión; cuando hablamos pensamos lo que vamos a decir, a quién y cómo. Las personas somos conscientes de aquello que queremos transmitir oralmente. La expresión corporal no funciona de la misma manera; casi todo lo que hacemos con nuestro cuerpo es inconsciente, no reparamos en lo que pasa con nuestras manos, piernas, rodillas, cejas, mejillas, etc.

De manera casi imperceptible somos capaces de captar cuándo un mensaje es congruente. Si una persona está hablando con usted y de repente, cuando le pregunta por ejemplo por su trabajo, la persona baja la cabeza, caen sus hombros y retira la mirada, pero sin embargo le cuenta lo maravillosa que es su profesión, lo mucho que gana y lo contenta que está... algo no cuadra. Las palabras y la expresión corporal entran en contradicción y nuestro inconsciente lo advierte; probablemente empiece a sentirse incómodo y esté deseando marcharse o cambiar de tema. ¿Recuerdan la última vez que les pasó algo parecido?

En el año 2012 el ministro de Hacienda (Montoro) en una rueda de prensa daba a conocer los recortes del gobierno para hacer frente a la crisis. Era un momento delicado, se incumplían las promesas electorales y había mucha tensión entre los asistentes. Mientras exponía las cifras y personas afectadas por los recortes, Montoro tenía expresión risueña. Esto cabreó a la prensa y fue prolijamente comentado. El ministro sufrió críticas implacables y se vio obligado, en otra rueda de prensa posterior, a aclarar que no se estaba riendo. Su discurso y su expresión corporal habían entrado en contradicción.

Mi consejo es que cuando usted le pregunte a su hijo si todo va bien, o si le pasa algo, esté muy atento a su expresión corporal.

Por ejemplo, si cuando le pregunta, el chico cierra los brazos o las manos, es que el tema le resulta incómodo. No debe seguir preguntando, puesto que el chico está a la defensiva y no le dirá nada, pero sí debe tenerlo en cuenta. Algo está pasando.

La mirada suele delatarnos. Una vez más, si ante una pregunta incómoda el chico retira la mirada o por el contrario la clava fijamente en usted, dé por seguro que está ante un problema.

Dice el refrán que más vale una imagen que mil palabras. Si intuye que algo no marcha bien o le parece incongruente, investigue, nada es casual.

CUARTA: LA AUTOESTIMA, BARÓMETRO DE NUESTRO ESTADO EMOCIONAL

Ante una situación de acoso, la autoestima del acosado sufre un bajón considerable, como ya comentamos anteriormente. La autoestima no es visible, por lo que su análisis requiere una percepción muy fina del estado emocional.

Piense que si su hijo está siendo acosado y además no puede confiar su problema a los seres queridos, el sentimiento más probable es de incapacidad. Esto puede verlo reflejado cuando el chico se niega a realizar actividades habituales con frases del tipo: «no soy capaz...», «no puedo...», «no sé...», «no me sale...».

Si repentinamente deja de intentar cosas y se pone a la defensiva cuando insiste en que lo haga, es probable que el chico sea víctima de su propio secuestro emocional.

En estos casos, usted puede enfadarse y tener la tentación de sancionar el comportamiento de su hijo; si no es consciente de lo que puede estar aconteciendo, es lo natural. Si cuando le reprende el adolescente no sólo no le contesta sino que se calla, baja la cabeza e incluso rompe a llorar, es que algo gordo está pasando. Piense que lo habitual cuando alguien nos reprende es el cabreo, la rebelión o la lucha, así que si su hijo hace todo lo contrario, es que se encuentra emocionalmente hundido.

Esté especialmente atento a los comentarios que hace de su cuerpo. Probablemente sienta repugnancia de sí mismo por no ser capaz de contestar al acoso. Si emplea adjetivos descalificativos sobre su imagen, es que está proyectando sobre ella la angustia que siente.

Observe si va con más frecuencia al baño o si, nada más llegar a casa, se mete en la ducha. Cuando la autoestima está por los suelos, podemos llegar a darnos asco a nosotros mismos. Al asearse más de la cuenta o ducharse con frecuencia desconocida, el adolescente trata de «purificarse», de lavar aquello que considera «sucio». Estos comportamientos son típicos de algunas adolescentes que sufren manoseos o tocamientos sin su consentimiento.

QUINTA: LOS CONTACTOS SOCIALES

Inevitablemente un adolescente sujeto a acoso disminuye la frecuencia e intensidad de sus apariciones sociales. La tendencia es a un progresivo aislamiento de familiares y amigos.

Observe si disfruta igual con la presencia de aquellas personas que solía frecuentar.

El chico tratará de evitar situaciones que le obliguen a mantener conversaciones o contactos informales. Si súbitamente deja de dar paseos con sus compañeros de juego, salir a dar una vuelta o no quiere atender el teléfono, estamos ante un indicio claro de malestar personal.

No atribuya automáticamente estos cambios al carácter o la adolescencia. Indague entre sus amigos y/o conocidos cuándo ha comenzado el distanciamiento.

Una conducta frecuente en adolescentes que sufren acoso es mostrarse remolón o incluso negarse a ir a clase. Lo habitual es simular estar enfermo, dolores de cabeza, de barriga, mareos y otros. En realidad hay que tomar estas cosas con cautela, puesto que pueden referirse a otras circunstancias; sólo las tendremos en cuenta si observamos alteraciones en más comportamientos.

Las simulaciones iniciales, si existe acoso, suelen dar lugar a verdaderos problemas de salud. El adolescente puede somatizar lo que le está pasando de múltiples maneras, la más común de las cuales tiene que ver con los dolores de estómago o cabeza. Si su hijo comienza a mostrar algún síntoma como los reseñados, es el momento de que el médico les diga si existe alguna patología o por el contrario goza de buena salud.

De una manera u otra, sea vigilante con la excepcionalidad: todos creemos que a nosotros nunca nos va a ocurrir.

Regla número 22

Interésese por sus intereses

Durante un tiempo estuve viviendo en un lugar paradisíaco del norte del país. Tenía un coqueto puerto y frecuentemente iba a pescar en compañía de buenos amigos. El olor a algas y la brisa del lugar invitaban a la charla. Ya se sabe que los pescadores *amateurs* pasan largas horas con su caña sin obtener resultados, pero el objetivo no es llenar la cesta, sino disfrutar del lugar y de los tuyos.

Una tarde de verano, con el mar en tediosa calma y los peces ausentes, mi amigo Juan me confesó que estaba pasando un momento muy delicado. Su hijo mayor Marcos tenía 15 años y de un tiempo a esta parte lo encontraba distante. Parecía que ya no disfrutaba de la presencia de sus dos hermanos y de sus padres. Tampoco participaba en las conversaciones familiares; en cuanto podía, se levantaba de la mesa, se

iba para su habitación o se enganchaba a la Play Station.

En el instituto las cosas habían empezado a empeorar. El chico era un buen estudiante, aplicado y ordenado. En los últimos meses, sin embargo, los profesores no estaban tan contentos. El tutor les comunicó que Marcos parecía estudiar menos, que apenas participaba en clase y se olvidaba de traer las tareas hechas de casa. Les comentó que seguramente era pasajero, algo propio de la edad, pero no les dijo qué podían hacer. Los padres salieron de la reunión preocupados, con más dudas que certezas. ¿Qué estaban haciendo mal?

Lo que más le preocupaba a Juan era **la incapacidad que sentía para dialogar con su hijo.** No entendía ese cambio tan repentino, ni tampoco cómo era posible que él, abogado de profesión que vivía de la palabra, cuando tenía que entablar una conversación con su vástago se quedara en blanco, sin saber que decir.

Mi amigo trataba en vano de comunicarse. Cada vez la situación se hacía más difícil. Cada nuevo intento de conversación fracasaba. Me contaba angustiado que ya no podía más, que la situación le superaba. A su mujer le pasaba lo mismo, no era capaz de cruzar dos frases con el muchacho.

Le pregunté si esto le pasaba con todos los miembros de la familia. Me contestó que con todos, bueno, casi con todos. Había una persona con la que Marcos sí pasaba largos ratos charlando y echándose unas risas: su abuelo. El sexagenario abuelo de Marcos era un hombre que había estado en Sudamérica muchos años. Era persona de gran ascendencia sobre la familia, durante mucho tiempo la había mantenido unida. Contrariamente a lo que se pueda pensar, el abuelo no gustaba de contar batallas ni glorias personales. Por el contrario, era pródigo en algo muy poco corriente: la escucha.

Mi amigo me confesó que llegó a estar un poco celoso de la buena relación que mantenía su hijo con el abuelo. Lo de Marcos por el abuelo era pasión. Lo más sorprendente del caso era que el abuelo apenas hablaba, era Marcos quien parloteaba incansablemente. Incluso le llevaba mapas de la geografía americana para que el abuelo le explicara detalles de los mismos.

Cuando terminó de contarme sus penas, Juan me miró fijamente a los ojos y me preguntó: «¿Qué podemos hacer? ¿Sería buena idea un internado, que lo aten en corto?».

Me callé durante unos minutos, durante los cuales desafortunadamente ningún pez parecía tener hambre. Luego le pregunté: «¿Cuál es tu plato favorito?». Él me miró perplejo, estuvo pensando unos instantes y me contestó: «El lacón con grelos».

Para quien no conozca el producto, le diré que el lacón, del latín *lacca,* es un producto derivado del cerdo procedente de las extremidades delanteras del animal. Se prepara cocido, y su proceso de curación es similar al del jamón curado pero por un período más corto, aproximadamente 30 días. Los grelos son hortalizas muy típicas en Galicia de sabor amargo, muy singular.

Aún no había salido de su asombro cuando le volví a preguntar: «¿Tú emplearías el lacón con grelos como cebo?». «Claro que no», me contestó. «Entonces ¿cómo piensas pescar a tu hijo, con lo que a ti te gusta o con lo que a él le gusta? ¿Cómo crees que lo ha pescado su abuelo?».

HABLAR, NO INTERROGAR

Muchas personas acostumbran a hablar sin cesar de sí mismos. Su interés principal son sus propios deseos, anhelos o necesidades. Apenas escuchan, en cuanto pueden cambian de tema y vuelven sobre sus temas preferidos. Centran su atención en lo que les interesa, y escasamente prestan atención a los deseos, anhelos o necesidades de los otros.

Cuando mi amigo se dirigía a su hijo, lo hacía para satisfacer sus deseos, en este caso el deseo de conocer qué pasa en un día de escuela. No le interesaba saber qué pensaba su hijo. Su interés principal era saber qué hacía, con quién estaba, a qué hora, etc.

El abuelo, sin embargo, no dirigía el diálogo, dejaba que Marcos se expresara libremente. En este contexto el chico podía verbalizar sus gustos y preferencias. Al hablar de sí mismo, se encontraba a gusto con su abuelo, no se sentía interrogado y por eso hablaba sin parar.

Muchas conversaciones con los hijos son más parecidas a un tercer grado que a un diálogo franco y abierto. Queremos saber, que nos facilite datos, fechas, nombres de personas, lugares, situaciones, quién estaba, quién se fue, con quién habló, de qué habló, cómo lo miraban...

Al contrario, cuando el adolescente pregunta a los padres, suele obtener respuestas vagas. Imagínense que fuera al revés, que fuera el adolescente el que interrogase a los padres: a la tercera pregunta ya estarían fatigados.

Cuando el adolescente percibe que hay un interés genuino en conocer sus preferencias, es fácil que nos cuente las cosas, tanto las que queremos saber como aquellas otras de menor interés. Al actuar de este modo, interesándonos por lo que a él le interesa, despertamos en el chico el ansia por contar. De esta manera, cuando tenga un problema, no dudará en manifestarlo abiertamente, en la certeza de que será escuchado.

Puede que algunas de las cosas que interesan al adolescente no nos gusten o nos parezcan inapropiadas. Una equivocación a evitar sería criticar sin argumentos sus intereses; no opine, razone por qué algo le disgusta o no lo considera apropiado para su hijo. Por ejemplo si al chico le gusta el *skateboard* y usted no gana para esparadrapo, hágale ver las consecuencias que puede tener una mala caída, pero no se le ocurra opinar peyorativamente de los jóvenes que aman esa actividad. Aun razonando, puede que su hijo siga empeñado en practicar el *skateboard*; si es así, tome la decisión que considere más oportuna.

Hemos de pasar muchas horas escuchando a nuestros hijos para poder conocerlos. Las conversaciones de muchos padres con sus hijos son del tipo *fast food,* de consumo rápido, de manera que pasamos por alto lo que les interesa a los chicos. Ármese de paciencia, copie las costumbres orientales.

Y no lo olvide: si quiere pescar, use el cebo adecuado.

Regla número 23
Emplee la empatía

Mahatma Gandhi escribió en una ocasión: «Las tres cuartas partes de las miserias y malentendidos en el mundo terminarían si las personas se pusieran en la piel de sus adversarios y entendieran su punto de vista».

Qué difícil resulta ponerse en la piel del otro. La empatía podría definirse como la capacidad para reconocer las necesidades y sentimientos de los demás, poniéndose en su lugar y respondiendo a sus reacciones emocionales. Si desarrollamos esta habilidad, obtendremos un genuino y sincero interés por las personas.

Cada individuo elabora su propio guión de vida. A lo largo de nuestra historia personal vamos adquiriendo un sistema propio de creencias. Las creencias están muy arraigadas, de tal manera que una vez establecidas es difícil modificarlas, son como nuestro disco duro. José Ortega y Gasset dejó esta sabia frase para la posteridad: «Yo soy yo y mis circunstancias». El yo al que hacía referencia el filósofo es, en gran medida, nuestro sistema idiosincrático de creencias.

Buscamos a las personas que consideramos similares a nosotros. **Estamos predispuestos a empatizar con aquellos que comparten nuestra forma de ver la vida.** De manera inconsciente, nos asociamos con las personas que sostienen los mismos puntos de vista que los nuestros. Nos sentimos cómodos cuando los demás confirman nuestra visión del mundo.

A la más mínima ocasión intentamos reafirmar nuestras creencias. Del mismo modo, cuando recibimos informaciones que las contradicen, la tendencia es a rechazar la información recibida.

EL SISTEMA DE CREENCIAS EN LA ADOLESCENCIA

Pongamos un ejemplo: está viendo la noticias de las nueve y en una de las informaciones aparece un chico que es detenido tras robar en un supermercado a plena luz del día y que en su huida atropella a una anciana causándole graves heridas. El presentador de la noticia advierte de la proliferación de este tipo de delitos en los últimos meses y la creciente inseguridad que genera. La información se completa con una entrevista al gerente del supermercado, que se lamenta de que la policía no hace nada para evitar estos hurtos.

Si usted cree que la causa de gran parte de la delincuencia es debida a una sociedad injusta, se sentirá poco identificado con el gerente y se sorprenderá de que se deje en segundo plano a la anciana atropellada. Probablemente tienda a rechazar la información acusándola de tendenciosa. Acusará a los medios de comunicación, por extensión, de criminalizar a los jóvenes.

Por el contrario, si usted cree que la delincuencia es una lacra que hay que combatir con todas las armas, se sentirá identificado con el gerente y achacará el atropello a una consecuencia inevitable de los tiempos anárquicos que vivimos. En este caso, aceptará la información al reforzar su creencia.

Las creencias se van aposentando en nuestra manera de ser a lo largo de toda la vida. La educación recibida primero en el ámbito familiar, luego en la escuela y más tarde en la calle perfila nuestra visión del mundo. Utilizando el símil del iceberg, las creencias sería la parte que no se ve y, por lo tanto, la parte más amplia. De un iceberg apenas se percibe el 10% porque el 90% restante está oculto bajo el agua.

Un error común es tratar de modificar las creencias de los demás

El conflicto está servido. Si usted pone en duda las creencias de otra persona, ésta se pondrá a la defensiva, lo considerará un ataque personal, un ataque a lo más profundo de su ser, un ataque a su educación, a sus valores, a su manera de ver la vida. Probablemente no vuelva a tener otra conversación con esa persona, porque cuando se encuentren, le evitará.

Su hijo adolescente está contrastando los valores inculcados en la familia con nuevos valores provenientes de su grupo de iguales para de esta manera ir generando un sistema de creencias propio. Si durante esta etapa el chico siente que no respeta su manera de pensar, hará lo mismo que ese amigo con el que un día discutió, le evitará.

Al empatizar, usted consigue que su hijo le cuente qué piensa, qué creencias está incorporando. Mediante la empatía usted aprecia los sentimientos y necesidades que subyacen, dando pie a la calidez emocional, el afecto y el compromiso.

Recuerde, sólo después de conocer las dudas que asaltan al chico, usted está en condiciones de poder guiarlo.

PRACTIQUE LA EMPATÍA

Raquel, una chica de 16 años, llegó ese día a casa eufórica. Cuando la familia se sentó a comer, y sin previo aviso, les dijo a sus padres: «El próximo viernes hay un concierto en la Casa de la Juventud y hemos quedado varias amigas para ir, nos lo vamos a pasar de miedo». El padre de Raquel, absorto en sus pensamientos, la miró iracundo y le respondió: «¡Un concierto, NO!».

La joven pasó de la euforia a la más absoluta decepción. «¿Pero por qué no?, van todas mis amigas, no vamos a hacer nada malo; sois unos carcas; cuando cumpla 18, haré lo que me dé la gana.» Se levantó de la mesa y, airada, se fue para su habitación.

Analicemos la situación. Raquel llega muy excitada, ha estado

planeando con sus amigas lo que van a hacer esa noche, seguramente se ha disparado la fantasía sobre las expectativas del concierto. Han hablado sobre la ropa que van a llevar, los zapatos, el bolso, etc. Por su cabeza han pasado miles de imágenes. En este período de la vida las emociones fluyen a gran velocidad, se suceden momentos de júbilo con otros de desencanto, todo se vive con una mayor intensidad. Si somos capaces de entenderlo, de empatizar con la chica, nos daremos cuenta de ese estado y procederemos adecuadamente.

A la excitación física le sigue la excitación verbal. Raquel no repara en que debe plantear su petición de manera más calmada y racional. Entra como un elefante en una cacharrería y como un torrente emocional expresa sus deseos. Da por sentado que va a ir al concierto solamente porque lo ha planeado sin ser consciente de las consecuencias. Este comportamiento impulsivo, propio de la adolescencia, suele crispar a los mayores; sin embargo, debemos entenderlo en el contexto general de euforia.

Por último, al sentirse decepcionada por la negativa inicial y bajar de la nube, ataca a sus padres, les muestra su desencanto. No entiende que puedan negarle algo tan maravilloso. Humillada, se retira a su habitación.

En este punto del conflicto nos quedan dos salidas. Podemos sermonear con frases del tipo: «Ya te llegará el momento, eres demasiado joven. Ahora lo que tiene que preocuparte son tus estudios», «a saber qué te encontrarás en el concierto, ahí sólo se va a beber y quién sabe a qué más», «a tu edad yo pensaba en otras cosas», etc. O podemos empatizar. Veamos cómo procedieron los padres de Raquel.

MÁS SE CONSIGUE CON MIEL QUE CON HIEL

Al cabo de un rato, la madre se acercó a su habitación. La chica estaba sobre la cama escuchando música con los cascos puestos. Se sentó en la cama de su hija, la acarició el pelo un rato y luego le preguntó: «¿Quién da el concierto?». Raquel la miró, abandonó sus cascos y le contó: «Son unos chicos del instituto, Miguel toca la batería, es de nuestra clase. El concierto es gratuito y los chicos nos han invitado. ¿Por qué no puedo ir?». La madre de Raquel volvió a preguntar: «¿Qué tipo de música tocan?». Raquel le contó que era música fusión, mezclaban distintos tipos de estilos y lo hacían muy bien.

Durante más de una hora estuvieron hablando madre e hija del concierto, la música y los chicos del instituto. Raquel comentaba anécdotas que le habían pasado los últimos días. También lo triste que se encontraba porque papá no la había escuchado. **La madre no estaba preocupada por el concierto, solamente quería saber qué sentía su hija.**

La conversación dio para mucho. La madre se enteró de las cosas que preocupaban a su hija y amigos, cómo se comunicaban, quiénes eran más afines y qué expectativas tenían. Supo qué pensaban los padres de las amigas de Raquel y cuáles eran los problemas más importantes de alguno de los chicos.

Al día siguiente, durante la comida, el padre de Raquel comentó: «¿Sabes?, cuando tenía 20 años tuve un grupo de música, hice mis pinitos como saxofonista, aunque creo que no era muy bueno. ¿El grupo del concierto que quieres ir a ver tiene saxofón?». Raquel le contestó que no, que era todo electrónico. «Bien, qué te parece si vamos a buscar ese día a tus dos amigas y os llevamos en el coche al concierto. Como dura dos horas, mamá y yo cenamos por allí y luego cuando acabe podemos tomar un helado todos juntos. ¿Qué te parece?». «Claro, claro, estaría muy bien», le respondió Raquel.

La madre inicialmente y el padre 24 horas después optaron por solucionar el conflicto mediante la aplicación del comportamiento empático. Se pusieron en el lugar de su hija y con calma valoraron la situación. No fueron ni permisivos ni intransigentes.

VENTAJAS DE SER EMPÁTICO

La empatía puede ser una buena herramienta que, dejando al margen el problema, puede ayudar a interiorizar los sentimientos de su hijo, conectando con él y con sus emociones. De esta manera será capaz de entender qué es lo que está sucediendo, al margen de que comulgue o no con sus acciones.

Ya llegará el momento de resolver el problema; por lo pronto, ha de ser capaz de sentir como él o ella sienten, de ponerse en su piel e intentar comprender por qué ha dicho lo que ha dicho y ha actuado como ha actuado. De esta manera podrá diluir el conflicto y abrir de nuevo las puertas del diálogo.

Empatizar no implica estar de acuerdo con el otro, compartir sus ideas o asumir sus creencias. Aun estando en completo desacuerdo con otra persona, podemos aceptar sus motivaciones y respetar su opinión. **Esto requiere un esfuerzo mental para entender que los demás pueden posicionarse de forma distinta a la nuestra.** La empatía conlleva generosidad y comprensión para olvidarnos de nosotros mismos y considerar los sentimientos que los demás quieren compartir.

Los chicos con un buen desarrollo de la empatía son menos agresivos, obtienen mejores resultados escolares, tienden a ser más populares entre los compañeros, son buscados para participar en todo tipo de actividades y son más propensos a compartir. En la edad adulta tienen una mayor capacidad para llevar a cabo relaciones estables, tanto con su pareja como con sus amigos e hijos.

Si quiere mostrar verdadero interés por lo que preocupa a su hijo, comience por practicar la empatía. No se precipite en sus decisiones. Averigüe qué emociones y sentimientos se esconden detrás de sus propuestas. Póngase en su lugar, al fin y al cabo usted ya ha hecho ese camino, también ha sido adolescente.

Regla número 24

Ponga límites

Los padres de David, un joven de apenas 15 años, me pidieron una cita para hablar de la situación de su hijo. Dos años atrás el chico era un modelo de conducta, ordenado, solícito y cariñoso. En poco tiempo se había vuelto todo lo contrario, malhumorado, caótico e iracundo.

Muy preocupados, me comentaron que el día a día era una guerra continua, nada parecía satisfacerle, todo le daba pereza. Además, recientemente, se había peleado con un chico de su clase con el que tenía muy buena relación. Para terminar el cuadro, el padre de David descubrió que el chico visitaba páginas eróticas en el ordenador de casa, amén de pasar un número de horas exagerado hablando y enviando mensajes por el móvil.

David tenía una hermana de nueve años a la que chinchaba continuamente. Las comidas familiares solían acabar con la hermana llorando y David fuera de la mesa. Humillado, el chico se retiraba a su habitación-leonera, que protegía cual soldado prusiano. Si la hermana osaba entrar en el santuario, era repelida con todo tipo de adjetivos descalificativos, amén de empujones.

Los padres pedían ayuda a gritos. Lo habían intentado todo por las buenas, hablaban largos ratos con el chico, le hacían ver lo injusto de su conducta y las consecuencias futuras, pero nada parecía resultar. La única manera que tenían de controlar su comportamiento era amenazándole con retirarle el móvil o el ordenador, pero esto resultaba agotador y tenían la impresión de que no avanzaban.

ADOLESCENCIA, SOFOCÓN HORMONAL

A partir de los 14/15 años en los chicos, un poco antes en las chicas, tienen lugar una serie de cambios biológicos perceptibles a simple vista; se produce el «estirón». En los chicos aflora un incipiente vello en axilas y cara, el tono de voz cambia haciéndose más ronco, aparecen las antiestéticas espinillas, aumenta el tamaño y fuerza de los músculos, se desarrolla la próstata y las vesículas seminales y se inicia la excitación sexual. En las chicas se desarrollan los senos, crece el vello de pubis y axilas, se ensanchan pelvis y caderas, aumenta el tamaño del clítoris, comienza el ciclo menstrual, crecen el útero y la vagina y también se inicia la excitación sexual.

Al mismo tiempo se habían iniciado en David otra serie de cambios menos visibles y que traían a sus padres de cabeza, cambios para los que su organismo se había estado preparando desde el útero materno.

La culpable del cambio de conducta de David se llama **testosterona**. Se trata de la hormona reina, algo así como «la madre de todas las hormonas» en el varón. De repente el chico se ve invadido por una fuerza de la naturaleza que no puede controlar; baste decir que a los 14 años los niveles de testosterona se multiplican por 20. El cuerpo sufre una sacudida tal que la masculinidad se dispara en todos los ámbitos, y súbitamente comienza el interés por las chicas, algo que hasta ese momento era un tema secundario. Pero sobre todo se verifica un cambio importante en el carácter, que lo vuelve más irritable e insoportable.

Los padres de David no estaban preparados para este cambio. ¿Y quién lo está? El torrente de la hormona masculina llega con tal fuerza y en tanta cantidad que pilla desprevenido al más prudente. De pronto se inician rápidos cambios biológicos, el vello, el pene, la voz, etc., pero sobre todo se activan los circuitos cerebrales de la búsqueda sexual en el hipotálamo, que alcanza un tamaño dos veces superior al del cerebro de las chicas.

Por decirlo de manera sutil, David sexualizaba todo lo que le rodeaba y ahora reparaba en las partes anatómicas femeninas, algo que turba y gusta al mismo tiempo a todos los adolescentes. Esta sensación acompañará a los chicos durante varios años, impregnándolo todo.

La testosterona no viaja sola, porque otra hormona, la vasopresina, la acompañará en el proceloso viaje de la adolescencia. ¿Se han parado, en alguna ocasión, a observar el patio de recreo de un instituto? Si lo hicieron, observarían que hay un refinado respeto al territorio. Los chicos de los cursos más avanzados ocupan los lugares más codiciados, y nadie de cursos inferiores osa sentarse en ellos. Cuando un novato llega al instituto a mitad de curso, no precisa que los compañeros le digan dónde debe ubicarse, al instante lo sabe. La testosterona y la vasopresina activan las respuestas ancestrales de lucha o huida. Si alguien invade el territorio, se prepara la lucha; los chicos más jóvenes lo saben y por eso sus hormonas les dictan que huyan.

El equivalente de la testosterona y la vasopresina en el varón son el estrógeno y la oxitocina en la mujer. Las hormonas masculinas preparan al sujeto para la agresión y la defensa del territorio, y las femeninas, para las relaciones y las interacciones emocionales. Dos formas muy diferentes de percibir la realidad. Esto no significa que las chicas no se peleen ni que los chicos no puedan emocionarse, pero son comportamientos menos frecuentes.

¿CÓMO RELACIONARSE CON UN ADOLESCENTE Y NO MORIR EN EL INTENTO?

David estaba en pleno proceso hormonal y su naturaleza le hacía buscar desesperadamente independencia y libertad. Durante esa búsqueda el chico lanzaba continuos retos y desafíos a sus progenitores. La madre contaba que unos días antes su hijo se había encarado con ella. Estaban en la cocina y David se fue a la nevera a prepararse un bocadillo. Al terminar dejó todo tirado por la mesa y se fue a su habitación. La madre lo llamó, pero por más que insistió, David le respondió que ya lo recogería. Cansada de esperar, se dirigió a la habitación del muchacho y le dijo que ya estaba bien, que pasara inmediatamente a recoger la mesa. El chico se levantó de la silla, se puso a pocos centímetros de la madre y, mirándola fijamente a los ojos, le comentó: «Es que siempre hay que hacer las cosas cuando a ti te viene en gana» La madre se armó de valor y le contestó: «Bien, tú no recoges la mesa, pero mañana por la tarde en vez de ir de paseo vas a estar limpiando los cristales conmigo». Refunfuñando, David recogió la mesa. Cuando más tarde llegó el padre y se enteró de lo ocurrido, llamó al chico y la filípica fue mundial.

Los chicos adolescentes necesitan tener límites claros y muy marcados. «Te portas mal» o «hay que ser bueno», son frases huecas que no delimitan el comportamiento deseado. **Es mejor hacer referencia a la conducta concreta que queremos instaurar.** Delimitar las horas de estudio y las tareas que les corresponden, así como dejar claras las consecuencias que conlleva el no cumplirlas, facilitará la convivencia en casa. Algo muy importante: no baje la guardia; si la consecuencia de no recoger la ropa después del baño es quedarse un día sin móvil, hágalo, retírele el teléfono.

Los intereses de chicos y chicas a estas edades suelen ser muy diferentes, sus hormonas mandan. Mientras que los chicos buscan más a sus pares para realizar actividades físicas, las chicas prefieren intimar verbalmente compartiendo sus experiencias. Por otra parte, los chicos suelen interesarse por temas más impersonales, como el fútbol, los motores o las carreras, mientras que las chicas se interesan más por las personas y sus relaciones.

Una de las penitencias que corresponden a la crianza y educación de los adolescentes es sufrir las consecuencias de la presión de grupo. Como seres cooperativos que somos, el grupo representa la idealización del yo social; dicho con palabras más sencillas, la pertenencia al grupo y la aceptación de éste son indispensables para el desarrollo del chico. De inicio la referencia del adolescente será el grupo de chicos de su instituto.

El adolescente ensaya en casa lo que posteriormente pondrá en práctica con sus iguales. Seguro de que su familia no lo va a rechazar, hará continuos alardes de fuerza y autonomía. Los desplantes de David a su hermana se enmarcan dentro de este esquema; igualmente la pelea reciente con un amigo implica la búsqueda de significación dentro del grupo.

La presencia de límites es como un seguro de vida. **Al establecer reglas, los adolescentes ven sofocado el torrente hormonal, aunque ellos no lo entiendan y se rebelen.** No se preocupe por eso, a nadie le gusta que le impongan normas. Sea claro y preciso con los límites que impone, recuerde la célebre frase de Adolfo Suárez, «puedo prometer y prometo». Usted puede poner límites y los pone.

Regla número **25**

Haga sentir importante a su hijo

Como comentábamos en capítulos anteriores, la adolescencia es una etapa de profunda inseguridad. El paso a la edad adulta está repleto de dudas y miedos, aunque los adolescentes no acostumbren a mostrarlos.

El adolescente busca su lugar en el mundo. Las frecuentes disputas por motivos insignificantes son un buen ejemplo de ello. Los chicos suelen rivalizar con su padre, y las chicas con su madre: son sus referentes. Tampoco son raras las peleas entre hermanos porque cada uno busca su lugar. Difícilmente dos hermanos son iguales: si uno es ordenado, buen estudiante y cariñoso, el otro es todo lo contrario, caótico, mal estudiante y arisco. *C'est la vie.*

EL DESEO DE RECONOMIENTO ES ALGO UNIVERSAL

En los primeros años de existencia este deseo es satisfecho por los padres a través del cuidado y la atención. Los niños institucionalizados manifiestan enormes carencias y dificultades de adaptación en la edad adulta. Unos meros cuidados básicos no garantizan un desarrollo emocional adecuado. Para que el desarrollo del individuo no se vea afectado negativamente, es preciso establecer un vínculo de apego entre el cuidador y la criatura.

Los padres son los socializadores primarios. A partir de la **aparición del lenguaje,** el niño deberá aprender a interactuar también con los otros. Inicialmente, entre los tres y los seis años de edad, apenas muestra interés en los iguales. Si tenemos paciencia y observamos el comportamiento de los niños de estas edades en un parque, veremos cómo juegan unos al lado de otros pero no cooperan entre sí: es el llamado «juego paralelo».

Recordarán bien esta etapa por la lucha del niño por la tenencia de objetos. Cuántas veces habrán tenido disputas por culpa de una muñeca, un balón o cualquier otro juguete. La posesión del objeto es el fin de la actividad, los demás niños son meras comparsas.

La influencia familiar va decayendo a medida que el niño crece, la progresiva autonomía del infante va posibilitándolo. En la adolescencia, el grupo de iguales va a tener una incidencia tan fuerte o más que la de los padres. Es un momento crítico.

El chico o la chica buscarán la **aceptación de sus iguales.** Por eso solemos ver grupos de chicos vestidos de la misma manera, ataviados con ropas y colores extravagantes. Lo importante es ser aceptado. Las pruebas de iniciación, tan frecuentes en los colegios mayores, son una manifestación de ello.

Yves Saint-Laurent dijo en una ocasión: «La moda no es un arte, pero para dedicarse a ella hay que ser un artista». Meses después, los museos más emblemáticos del planeta abrían sus puertas a los más prestigiosos diseñadores. La alta costura entraba en los templos del arte. El modisto había conseguido el reconocimiento anhelado.

Toda persona, sea famosa, rica, o menos afortunada, necesita sentirse apreciada, tener prestigio y destacar dentro de su grupo social. Somos seres sociales, buscamos la aceptación del grupo, y esto es así a lo largo de la vida.

Si su hijo busca ser reconocido por sus iguales, empiece por reconocerlo usted. Si su hijo se siente importante, sus inseguridades serán menores. ¿Qué pueden hacer los padres para facilitar estos procesos? El punto de partida es la **aceptación de su hijo.**

SER O NO SER. EL CASO DE RAQUEL

Un día me visitó en mi despacho una chica de 17 años que llamaremos Raquel. Vestía de manera informal, saltaba a la vista que no estaba preocupada por agradar a los demás. Con la cabeza gacha y sin mirarme a los ojos, fue contándome lo agobiada que se encontraba en su casa. Sus padres estaban tan preocupados de sus resultados escolares que no hablaban de otra cosa. Cada vez que ella quería hablar de algún tema, acababan por sermonearla con los estudios.

Su autoestima estaba por los suelos y no sabía cómo podía agradar a sus padres. Me contaba que se esforzaba mucho, que pasaba todo el día entre las clases del instituto y las clases de recuperación, pero aun así no lograba mejorar sus resultados académicos. Los fines de semana ayudaba en las tareas de casa y apenas tenía tiempo para salir un par de horas los domingos.

Raquel era una chica inteligente, de modo que sus problemas con los estudios no estaban vinculados a su capacidad intelectual. Otra cosa era el territorio emocional; en este espacio era una persona extremadamente **sensible a los comentarios** de sus padres. Su mayor deseo era agradarlos, pero se sentía impotente para llevarlo a cabo.

Había perdido el apetito y cada vez le costaba más conciliar el sueño. Todo indicaba que Raquel se sentía indefensa y comenzaba a somatizar los problemas.

No quedaba otra, cité a sus padres. Ambos parecían compartir la forma de ver la situación de la hija, estaban convencidos de que la adolescente no trabajaba lo suficiente, y eso era para ellos la clave del problema. Dejé que se explicaran durante un buen rato en el que comprobé lo importante que era para ellos el éxito escolar de Raquel.

Después, cuando se hubieron desahogado, les pregunté: «¿Cuándo ha sido la última vez que le han dicho a Raquel lo mucho que la quieren?». Se miraron el uno al otro estupefactos, no se esperaban la pregunta y titubearon. Durante unos instantes el aire parecía cortar sus gargantas. Al poco respondieron que claro que la querían, aunque es cierto que no solían decírselo habitualmente. Me callé unos instantes, quería más. La madre bajó la cabeza y me preguntó: «¿Qué está pasando?».

Les expliqué que Raquel sufría mucho por no poder satisfacerlos y que sus dificultades escolares no se debían a factores intelectuales o a su falta de dedicación. Sin dramatismo, pero con firmeza, les previne de las consecuencias que podía tener la situación. Raquel se hallaba bajo los efectos de un gran estrés emocional al no ser capaz de responder a las expectativas paternas.

Era preciso cambiar el escenario o de lo contrario el problema podría agravarse. La baja autoestima producía un estado de debilidad fácilmente aprovechable por alguna persona desaprensiva. Buscaría atención y reconocimiento como fuera o se haría daño a sí misma. Les expliqué que enfermedades como la anorexia o la bulimia están estrechamente relacionadas con la baja autoestima.

Raquel necesitaba sentirse importante para sus padres y éstos necesitaban aprender a valorar positivamente a su hija.

Durante varios días hablamos de todo esto. Poco a poco fueron comprendiendo que su hija era algo más que una estudiante, que las necesidades afectivas están por encima de las escolares. Que, pasase lo que pasase, lo más importante para su hija eran sus padres y lo más importante para los padres no eran las calificaciones escolares, sino su hija.

Las relaciones familiares no podían seguir pivotando en torno a lo académico. Era necesario y urgente que los padres aflojaran la presión sobre los resultados escolares.

Los padres de Raquel aprendieron a reconocer las miles de cosas que su hija hacía bien y sobre todo comprendieron que era preciso transmitírselo. No se trataba de verbalizar todos y cada uno de los aspectos positivos que iban percibiendo, un gesto amable o una sonrisa cómplice eran más que suficientes.

El cambio de actitud de los padres tuvo efectos balsámicos sobre la conducta de Raquel. Poco a poco empezó a cuidar su aspecto físico y a mostrarse más habladora. Al sentirse reconocida, mejoró su autoestima, se sentía más optimista y comenzó a disfrutar de la presencia de sus padres.

Al cabo de pocas semanas las comidas familiares eran el mejor momento de la familia. Hablaban de cómo había ido el día, el padre contaba el carácter huraño de algunos clientes, la madre comentaba el caos de tráfico de la ciudad y la hija les hacía partícipes de los planes para el cumpleaños de su mejor amiga.

Disfrutar los unos de los otros había cambiado algo fundamental, la **jerarquía de prioridades.** Ahora se preocupaban de hacerse felices unos a otros, de superar juntos las adversidades. Unidos, podían con cualquier dificultad. Aprendieron a valorarse como personas.

Los resultados escolares no se hicieron esperar. Desactivada la tensión emocional, Raquel comenzó a estudiar sin presión, con más ganas y con más acierto. Su carácter se volvió más extravertido, se unió a un grupo de chicas aficionadas al teatro y con las que pasaba parte del fin de semana; por fin disfrutaba de cada momento. Ahora sí se sentía reconocida.

Nuestra sociedad tiende a dar importancia a la posesión de objetos o títulos, el «tener» ha sobrepasado al «ser». Tener un buen coche, una casa en la playa o ser licenciado en medicina está por encima de ser padre, ser hijo o ser amigo. La publicidad nos abruma con la óptica de las pertenencias. No pierda la perspectiva: su hijo quiere ser, y luego vendrá lo que tenga que venir.

Raquel, como el diseñador Yves Saint-Laurent, solo necesitaba reconocimiento. Sentirse importante para los demás nos hace mejores y da sentido a nuestra existencia. Una simple palabra en el momento oportuno puede estimular nuestras vidas, una mala palabra puede hundirnos.

Siete cuestiones para pensar

1. LOS DESAFÍOS DE INTERNET

Uno de cada cinco adolescentes presenta indicios de adicción a internet. El dato procede de una investigación realizada en siete países europeos por la asociación Protégeles. El estudio completo pueden consultarlo en la página web de la asociación[1].

La situación en nuestro país es todavía peor: el porcentaje sube hasta el 27,8%, casi un tercio de nuestros jóvenes. Esto quiere decir que son chicos que han dejado de realizar actividades habituales como salir de paseo o practicar algún deporte.

Otro dato que nos ofrece el estudio es que el 39% de los adolescentes españoles de entre 14 y 17 años pasan más de dos horas en las redes sociales, frente a un 23% de europeos. Lo más llamativo es que lo hacen incluso desde el colegio.

Con la eclosión de los móviles 3G/4G, tabletas y otros dispositivos de bolsillo, los chicos tienen al alcance de la mano el acceso a cualquier contenido de internet. ¿Cómo podemos controlar el tiempo que pasan y las páginas que visitan? ¿Qué efectos tiene en sus relaciones personales y académicas? ¿Existe un perfil de adolescente enganchado a la red?

La incidencia de estos comportamientos en el rendimiento escolar es muy alta, se podría decir que es directamente proporcional al tiempo pasado en la red. Por lo tanto debería preocupar a

---

[1] http://www.protegeles.com/es_estudios5.asp.

los padres la inversión del tiempo de ocio que hacen sus hijos en internet.

Muchos padres muestran perplejidad cuando son conscientes de la dimensión del problema. «¡No pensaba que estaba tanto tiempo conectado!», «¡lo noto más ausente, pero no lo relacionaba con esto!», «¡todos lo hacen, pensé que era normal!», etc.

En muchos casos la situación se descubre cuando el chico comienza a tener dificultades escolares. Los padres acuden al orientador del centro preocupados porque no entienden qué le puede estar pasando a su hijo. De manera natural, muestran resistencia a creer que puedan estar relacionados rendimiento escolar y el móvil de última generación que le habían regalado.

Suelen darse dos situaciones muy dispares. O bien los padres se niegan a reconocer que su regalo envenenado pueda ser el origen de los males, o bien se culpan por no haber vigilado con más esmero lo que hacía su hijo.

La falta de conciliación entre el mundo laboral y familiar tampoco ayuda. Los horarios no permiten en muchas ocasiones que los padres pasen el tiempo necesario con sus hijos. En los momentos que nos ha tocado vivir, como para pedir al jefe que nos deje salir antes.

Por otro lado están los intereses comerciales: hay un bombardeo constante en los medios de comunicación de jóvenes utilizando el móvil. Si ustedes se fijan, los anuncios de móviles y dispositivos electrónicos están protagonizados por chicos y chicas de no más de veinte años.

¿QUÉ HACEN LOS ADOLESCENTES EN INTERNET?

Una encuesta de 2013 realizada en Estados Unidos y publicada en expansión.com[2] revela algo que sospechábamos: los adolescentes son más activos en la red de lo que podíamos suponer. El sondeo fue realizado a casi 2.500 adolescentes y padres.

Los riesgos de la falta de control sobre lo que hacen los adolescentes en internet son más que conocidos; no obstante, parece que cada vez es mayor la brecha digital entre hijos y padres. No habla-

---

[2] http://www.expansion.com/agencia/europapress/2013/06/05/20130605095225.html.

mos ya de diferencias generacionales, podemos estar ante un fenómeno nuevo de dimensiones aún por definir.

Veamos algunos aspectos más llamativos de la encuesta.

Empleo de redes sociales

Las más que populares redes sociales son la plataforma preferi-
da por los adolescentes. Pese a necesitar tener 14 años para operar
legalmente en ellas, el 85% de los preadolescentes de 10 y 11 años
tienen al menos una cuenta y declaran que la emplean a diario. Lo
más extraño es que muchas veces son los propios padres quienes
abren perfiles para los hijos.

Otro dato sorprendente es que el 82% de los adolescentes creen
que las redes sociales son seguras o muy seguras, opinión que comparten el 79% de los padres.

Estos datos confirman que, pese a que se conocen los riesgos de
navegar sin supervisión, a los padres no les parece peligroso que
sus hijos expongan públicamente sus opiniones, datos personales o
fotografías.

Tiempo invertido en la red

Más de la mitad de los adolescentes confirman que pasan cinco
o más horas navegando; sus padres, en cambio, creen que sólo lo
hacen durante una o dos horas.

Si la permisividad en el uso de las redes sociales es chocante, lo
es aún más la que existe con el tiempo pasado en la red. Probablemente muchos padres se encuentren ausentes durante varias horas
al día de casa, lo que facilita, sin duda, un abuso en el horario de
atención a internet.

Sin vigilancia o con muy poca, el adolescente puede pasar dema-
siadas horas navegando. Pegado a la pantalla pasa el tiempo que de
otro modo podría dedicar a actividades físicas, de ocio, solidarias,
de estudio, etc.

Otro peligro son los contenidos que visitan. Durante más de cinco horas son muchas las páginas, blogs, foros, etc., que son activa-
dos, una exposición cuyas consecuencias los padres ignoran.

Padres analógicos, hijos digitales

La mayoría de los padres se sienten atosigados ante la rapidez de los cambios tecnológicos. Criados en el mundo analógico, a duras penas pueden seguir las innovaciones. Esto genera en los adultos un sentimiento de impotencia que, en muchas ocasiones, les hace claudicar en su afán por controlar lo que hacen sus hijos.

Los datos del estudio son muy significativos en este ámbito: más del 80% de los padres afirma que no tienen fuerza ni ganas para controlar lo que hacen sus hijos en la red. Solamente el 9% de los padres afirman que saben cómo investigar lo que hacen sus hijos.

La brecha digital se impone a la generacional. Los adolescentes conocen cómo ocultar su rastro en la red: casi el 60% admitió que saben cómo mantener en secreto lo que hacen *online*.

RECOMENDACIÓN: CONTROL PARENTAL

Hace poco tiempo se emitía en televisión y otros medios la información de una madre estadounidense que había hecho un contrato de uso del móvil con su hijo[3]. Algo que debería ser normal era noticia. Esto nos puede indicar hasta qué punto está normalizado en nuestra sociedad el uso indiscriminado de las nuevas tecnologías. La madre estadounidense, en contra de la marea, era consciente de los riesgos que entrañaba el abuso del utensilio.

¿Realmente es necesario que un adolescente esté conectado a internet las 24 horas del día? La respuesta es rotunda: NO. Las normas las ponen los padres, no los hijos. Si usted no pone las reglas, está haciendo dejadez de funciones. Su hijo intentará manipularlo de mil maneras, así que resista: «¡todos lo tienen, por qué yo no!», «¡sois unos antiguos!», «¡no podré comunicarme con mis amigos!», «¡necesito el WhatsApp para hacer los deberes!», etc.

Negocie con su hijo, pero negocie con sus reglas, usted tiene la autoridad. Evite hoy lo que mañana puede ser un problema mucho mayor. No se crea lo que la publicidad le diga porque, al fin y al cabo, sólo la mueven intereses económicos. Piense que nunca ha

---

[3] http://www.huffingtonpost.es/janell-burley-hofmann/a-mi-hijo-de-13-anos-de-p_b_2403273.html.

sido fácil para los padres negarles a sus hijos lo que piden, pero dárselo todo puede ser mucho peor.

Y no se preocupe, si su hijo no lo entiende ya lo entenderá cuando sea madre o padre. ¿Acaso se ha olvidado de cómo se sentía cuando sus padres le negaban algo? Sin embargo, ha sobrevivido.

Internet, como la fusión del átomo, no es ni buena ni mala en sí misma. Puede emplearse la fusión para fabricar una bomba atómica o para salvar vidas en medicina nuclear. Un uso apropiado de la red sólo conlleva ventajas.

En la adolescencia los chicos no deberían tener acceso libre e ilimitado a los contenidos virtuales. Al estar en formación, cualquier elemento puede distorsionar su visión de la realidad.

Es recomendable que los dispositivos de acceso a internet se ubiquen en lugares comunes, como el salón de casa, a fin de visualizar lo que hace su hijo. También es muy importante limitar el tiempo dedicado a navegar, cortando la conexión una vez cumplido.

No podemos competir, ni lo debemos hacer, pero sí podemos y debemos controlar lo que hacen nuestros hijos. Sólo de esta manera estaremos en disposición de responder ante los riesgos objetivos del uso indiscriminado de internet.

2. ¿GAMBERRADAS O INCONSCIENCIA?

Pasé mi adolescencia a pocos metros de una estación de ferrocarril. El sonido de las antiguas máquinas diésel llegó a hacerse algo tan familiar como la sopa de letras. Hoy, leyendo una noticia, recordé las innumerables veces que habíamos estado expuestos al peligro.

«Un adolescente de 16 años recibió ayer una descarga eléctrica de una catenaria mientras trataba de hacerse una foto encima de un vagón de tren. Al parecer, se coló junto a una amiga en el centro logístico de clasificación de la empresa Adif en Vicálvaro, se subió a uno de los vagones y, al tomar contacto con la catenaria, la electricidad le hizo caer al suelo desde unos 5 metros, provocándole un traumatismo craneoencefálico severo»

(*La Razón*, 1/02/13).

¿Qué empuja al adolescente a asumir riesgos gratuitos?

Si algo define la adolescencia, es la exposición a situaciones potencialmente peligrosas. La razón biológica de este comportamiento es básicamente hormonal. Los adolescentes no encuentran satisfacción en casi nada, todo les aburre, necesitan vivir intensas emociones para reaccionar. Los centros de placer del cerebro adolescente precisan dosis muy altas de estímulos para satisfacerlo y eso sólo se lo va a dar una cosa: el riesgo.

Muchos de los que están leyendo recordarán la película de James Dean *Rebelde sin causa*. En ella hay una escena donde el protagonista se reta con un amigo; el reto consistía en acelerar el coche al máximo y frenar lo más tarde posible ante un precipicio. Sus amigos están presentes y apuestan quién de los dos se «rajará» antes. En su afán de llevar al límite la apuesta, uno de los chicos no es capaz de frenar a tiempo y pierde la vida.

El riesgo toca su máximo cuando es exhibido, bien delante de los amigos, bien delante del sexo opuesto. Se trata de conseguir la aceptación social con sus colegas o de impresionar a la joven que le gusta. **Raramente podemos observar este comportamiento en las chicas,** que emplean otras estrategias para alcanzar los mismos objetivos de aceptación y reconocimiento.

Estamos ante un comportamiento ancestral, inscrito en nuestra genética. El adolescente intenta subir en el escalafón social, para lo cual no duda en adoptar conductas extremas. Ansioso por demostrarse a sí mismo y a los demás que es capaz de cualquier cosa, no duda en arriesgar su físico con acciones temerarias.

¿Es siempre así?

Mientras que la mayoría de los chicos cruzábamos de manera imprudente las vías, uno de los muchachos lo hacía siempre por el paso elevado. Llevaba poco tiempo viviendo en el barrio, no salía mucho y nos extrañaba que no le gustase hacer lo que a nosotros nos apasionaba.

Quería ser aceptado por el grupo y por eso, en ocasiones, nos traía cómics o cromos que nos ofrecía generosamente. Nos llamaba la atención la celeridad con que acudía ante la llamada de su madre: en cuanto ésta salía al balcón, nuestro colega se despegaba como un resorte del suelo y subía a su casa.

Con el tiempo fuimos comprobando que no hacía nada que pudiese incomodar a su madre. Como consecuencia, nos recordaba, continuamente, que no debíamos hacer tal o cual cosa. Como se pueden imaginar, poco a poco fue siendo marginado del grupo, porque su presencia empezó a resultar incómoda, así que terminamos por rechazar sus cómics y cromos.

El adolescente se debate, en muchas ocasiones, entre ser aceptado por el grupo o cumplir las normas establecidas en el ámbito familiar. Esto suele ser un motivo de conflicto de difícil solución.

MEJOR PREVENIR

En la adolescencia la necesidad de aceptación social es primaria. Los chicos no dudarán en desobedecer a sus padres si está en juego su prestigio social. Los padres deben entender que sus hijos pueden vivir como una humillación situaciones aparentemente banales. Si no, recuerden cuando su hijo les dijo por primera vez que no quería que le diesen la mano por la calle o le plantificasen un beso en público.

Afortunadamente, la mayoría de los adolescentes no necesitan llegar a situaciones límite para ser aceptados por el grupo.

Los padres deben estar vigilantes a las relaciones que mantiene su hijo con sus iguales. Si usted percibe, en su forma de hablar, dudas en su hijo sobre su integración con los otros chicos, es el momento de profundizar en ellas.

Habitualmente, si no hay buenas relaciones con el grupo de iguales, los adolescentes evidencian una baja autoestima. Creen que no les quieren o que algo de ellos no gusta a los demás.

Encerrarse en casa o lo contrario, querer salir continuamente, pueden darnos la pista de que algo no está marchando bien. Los extremos suelen indicar la presencia de conductas también extremas.

Para evitar que su hijo se sobreexponga a situaciones de riesgo, esté atento a los cambios repentinos en sus gustos. Si ahora no quiere salir de casa, es que algo marcha mal. Averígüelo, indague, hasta encontrar qué ha cambiado en la vida de su hijo. Luego, y sólo luego, hable con él. Si intenta abordar la situación de frente, no conseguirá nada, el chico se bloqueará.

Recuerde: el mejor modo de evitar una situación de riesgo, o al menos minimizarla, es anticiparse a ella.

3. LOS HIJOS Y LAS NUEVAS PAREJAS

¿Cómo afrontan los niños y adolescentes la separación de los padres? En líneas generales, parece que lo llevan mejor que los propios adultos, aunque sentimientos como la tristeza o el miedo son habituales después de una separación. Éste es uno de los datos del estudio de la Fundación ATYME realizado a 53 jóvenes por expertos en mediación[4].

En un correo que recibí hace unos meses, una madre me relataba angustiada que su hijo de 16 años estaba teniendo un comportamiento poco adecuado con su nueva pareja. El asunto iba más allá del rechazo, de tal manera que el chico menospreciaba continuamente la forma de ser, vestir o hablar del nuevo amor de su madre.

---

[4] http://www.atymediacion.es/Publicaciones/PLibroHMD.html.

Echando un ojo al estudio antes mencionado, observé un dato preocupante: el 67% de adolescentes, después de una separación, tienen mala relación con las nuevas parejas.

Según datos del INE[5], solamente en 2011 se produjeron en España más de 110.000 separaciones o divorcios. Como es natural, no sabemos cuántas nuevas parejas con hijos adolescentes rehacen su vida con otras personas, pero parece que son miles, con lo cual, si los datos que nos proporciona el estudio son reales, tenemos una situación de conflictividad familiar preocupante.

¿Cómo deben afrontar las madres y padres separados la relación de sus hijos adolescentes con las nuevas parejas?

El tema, a la vista de los datos, no es baladí. Lo queramos o no, la irrupción de alguien nuevo en la vida de los adolescentes supone un cambio importante.

Los hijos de divorciados o divorciadas mantienen un difícil equilibrio en la situación de ruptura. **La aparición de una nueva pareja es como la introducción de un «cuerpo extraño» en un organismo vivo.** El cuerpo puede rechazar o aceptar la nueva situación, pero en ningún caso permanecerá indiferente. De cómo actúe la nueva pareja dependerá que el adolescente acepte o rechace los nuevos cambios.

PREPARE EL TERRENO

Insistiendo en la idea anterior, la aparición de una nueva pareja representa para el adolescente la aparición de un «cuerpo extraño». Difícilmente se producirá una aceptación entusiasta, porque a priori no es lo que espera. De alguna manera se rompe el statu quo creado desde la separación de los padres.

El adolescente verá la nueva pareja como una amenaza potencial a no ser que se den los pasos apropiados; de ahí la importancia de preparar el terreno.

Un error a evitar es presentar a la nueva pareja como la persona que a partir de ahora ocupará un lugar destacado. Es más aconsejable propiciar una serie de encuentros informales en los que la nueva pareja y el adolescente se vayan conociendo. No confunda las cosas; en el mundo laboral, por ejemplo, es normal que le presenten

---

[5] http://www.ine.es/prensa/np735.pdf.

al nuevo jefe repentinamente una mañana cuando acuda al trabajo, pero con sus hijos es diferente. Piense que están en juego un sinfín de emociones, que han de ser moduladas para no caer en la angustia o el miedo.

Tómense un café todos juntos, vayan al cine, acudan a actos sociales o lúdicos, no tenga prisa. Los adolescentes necesitan tiempo para ir asimilando que esa persona que usted ha elegido no es una amenaza, que no les va a quitar nada.

Deje **que el «cuerpo extraño» vaya entrando poco a poco** y así el adolescente irá acogiendo de mejor manera la nueva situación, el nuevo statu quo.

Luego de cada actividad que realicen juntos, hable con su hijo. Siéntense cómodamente y charlen sobre las cosas que han hecho. Intente que el centro de atención del diálogo no sea la nueva persona, para lo cual evite preguntar cosas como «¿qué te pareció David?», «¿a que es divertida Ana?». No focalice, insisto, no focalice el interés de lo que han vivido en preguntas sobre el «cuerpo extraño».

De esta manera sutil y efectiva su nueva pareja irá integrándose en la dinámica familiar. En poco tiempo, si las cosas se han hecho bien y con pausa, será el adolescente quien le pregunte por él o ella. Cuando esto ocurra, llegará el momento de pasar a la segunda fase.

EL ROL DE LA NUEVA PAREJA

Inevitablemente, un día su hijo le preguntará qué hay entre usted y ese señor o señora que les acompaña frecuentemente. Es el momento de hablar claro. Dígale lo que siente, abra su corazón, ahora sí es el momento de preguntar «¿qué te parece David o Ana?».

Confirme que lo que más quiere en el mundo es a su hijo, que nunca le va a fallar. Al mismo tiempo, comente lo importante que es para usted la nueva pareja, los planes que han hecho y que están juntos en ellos.

Tenga especial cuidado en no confundir las cosas. **La nueva pareja es una nueva relación, no sustituye a nadie** ni va a ocupar el lugar de otro/a. No va a ser el nuevo padre/madre de su hijo.

Al aclarar las cosas, el adolescente se sentirá más seguro, sabrá cuál es su sitio y el de la nueva pareja.

Base la relación en el respeto mutuo. Usted es su padre/madre y por lo tanto el encargado de su educación: deje muy claro este aspecto. Las normas y/o las reprimendas les corresponden a usted y a su padre/madre biológico, a nadie más, repito, a nadie más.

Cuando esto se asiente, será el momento, si así lo decide, de pasar a la tercera fase.

¿Y SI NOS VAMOS A VIVIR JUNTOS?

Momentazo. Se trata de una decisión compleja con muchas implicaciones y que requiere reflexión y pausa. Tengo que decir que si esta alternativa se propone antes de pasar por los requisitos anteriores, probablemente suponga un sonoro fracaso; créanme, he conocido no pocos casos.

La convivencia, irremediablemente, implica roces, disputas, desencuentros. Por lo tanto, debe prepararse para la aparición de situaciones tensas en las cuales su hijo, su pareja y usted mismo van a estar implicados.

Lo relevante no es que haya problemas, es cómo afrontarlos. De cómo resuelva las primeras fricciones dependerá el futuro equilibrio familiar.

Por emplear un símil judicial, su rol no es el de abogado defensor ni el de fiscal. Usted puede tener una riña con su hijo o con su pareja, de manera independiente. **El problema puede surgir cuando la riña la tienen su pareja y su hijo.** Por eso usted no puede actuar como un abogado defensor ni como un fiscal, es decir, no puede ponerse de parte de uno de ellos..., ha de ser independiente y justo como un juez y saber soportar las presiones.

Si ha conseguido basar las relaciones familiares en el respeto mutuo, es seguro que también respetarán las «resoluciones» que usted tome. Las partes siempre creen que llevan la razón, así que trate de no herir cuando tome una decisión pero deje claro que exige que se respete.

Sobre todo, evite que no haya vencedores ni vencidos, pues esto crearía resentimiento.

Espero que estas sugerencias le sirvan de ayuda y consigan disminuir ese 67% de adolescentes que tiene mal rollo con las nuevas parejas. Les deseo suerte y sentido común.

4. EL TSUNAMI HORMONAL EN LAS ADOLESCENTES

Mi amiga Ana estaba desconcertada, en apenas un par de años su hija había sufrido un cambio radical. Antes, me decía, Lorena era una niña encantadora, obediente, pendiente de sus cosas; sin embargo, ahora está siempre de mal humor, nada la contenta, parece «ida».

Como medida desesperada, Ana optó por llevar a la chica al médico y posteriormente al psicólogo. «Me dicen que Lorena está bien, que no le pasa nada, que tenga paciencia, que se le pasará con la edad... Pero yo no puedo más, no pego ojo. ¿Qué estoy haciendo mal?».

En la pubertad, como decíamos en capítulos anteriores, acontecen muchos cambios físicos, la mayoría de ellos visibles: aceleración del crecimiento, aparición de vello, agrandamiento de los senos, las caderas se ensanchan, aparece la menstruación, etc. Asociados a éstos, existen otros que traen a mal traer a los padres: rebeldía, decaimiento, euforia desmedida, malas contestaciones, cambios de humor...

El cuerpo de las niñas se verá inundado por un subidón de hormonas, entre las que destacan el estrógeno y la progesterona. Los estrógenos le darán vitalidad, fuerza, potencia, harán que se sienta a gusto, con ganas de hacer cosas. Por el contrario la progesterona provocará frecuentes cambios de humor y la harán sentirse irritada o como sedada. ¿Qué tocará hoy?

Muchos de los comportamientos prototípicos de las adolescentes tienen su origen en el caos monumental que se produce en sus cuerpos. Conocer las claves de este tótum revolútum puede ayudar a madres como Ana a entender y relativizar el paso de su hija por esta etapa.

PRIMERA CLAVE: ¿CUÁNTOS CUARTOS DE BAÑO TIENE EN SU CASA?

Las chicas quieren verse guapas. Dicho de este modo, no parece algo negativo, y no lo es realmente. El problema aparece cuando se convierte en obsesivo. Durante estos primeros años de adolescencia las chicas **sólo parecen preocuparse por su imagen,** continuamente visitan el espejo y se pasan horas probándose ropa. Da igual que se tuneen de «pijas» o de «góticas» porque raramente se encontrarán cien por cien bien.

¿Ha reparado alguna vez en un grupo de chicas de 13 años? Todas visten igual, con la misma ropa, los mismos colores, hasta con las mismas botas de estética dudosa. A poco que indague, verá que alguna cantante de moda, presentadora de programas juveniles o actriz de series juveniles viste de la misma manera.

Las amigas y los medios de comunicación, efectivamente —las **madres ya no— son el modelo.** A partir de estas edades usted es solamente una cavernícola sin gusto ni idea de «lo que se lleva». No es fácil asumir la pérdida de protagonismo para quien ha cambiado con mimo los pañales y le ha proporcionado «apiretal» cuando lo necesitaba.

¿Su hija ya no le necesita? En absoluto, a partir de ahora la va a necesitar mucho más, pero de otra manera. **No pierda el tiempo criticando** su forma de vestir o sus gustos musicales, por muy horripilantes que puedan parecer. Su hija sólo está ensayando, y si no recuerde que usted hacía lo mismo.

Las hormonas empujan a las adolescentes a gustar. Estarán pendientes de la reacción de los chicos cuando las vean con sus nuevos leotardos, aunque los chicos no lleguen tan abajo con la mirada. Necesitan sentirse atractivas, despertar el interés. Así que si su casa sólo tiene un cuarto de baño, vaya pensando en mudarse.

SEGUNDA CLAVE: ¡QUÉ CARÁCTER TIENE LA NIÑA!

Desde que es posible observar a través de tomografías por emisión de positrones (TEP) el modo de respuesta en chicos y chicas adolescentes ante diversos estímulos, sabemos que existen circuitos cerebrales específicamente femeninos más sensibles a los matices emocionales.

Un día Lucía llega del instituto con cara de pocos amigos. Su padre, para relajar el ambiente, le comenta lo ceñidos que le quedan los pantalones. De forma arisca, Lucía le contesta que la deje en paz, que ella se va a poner lo que quiera y que le encantan sus vaqueros. La intención del padre no era reprocharle nada, pero ha tenido el efecto contrario. ¿Qué ha pasado?

El baile hormonal ha comenzado. La reacción de Lucía se produce durante la segunda parte del ciclo hormonal. En este momento los estrógenos están de capa caída y la progesterona en su máxima cota.

Probablemente ese día Lucía haya tenido un conflicto con sus amigas o algún chico. En estas edades las adolescentes se muestran excepcionalmente sensibles a cualquier alteración en su medio social. Para ellas es de vital importancia mantener su grupo de amigas y que éste la acepte y valore. Lo que a un adulto puede parecer un comentario insignificante desde la óptica de la chica puede ser una ruptura o un rechazo, y esto le genera una gran preocupación.

Todo se sobredimensiona, tanto las alegrías como las penas. Si un día Lucía se entera de que alguna amiga la ha criticado, y además eso coincide con la segunda parte del ciclo hormonal, montará en cólera, se irritará profundamente y contestará de malas maneras al primero que pase a su lado. Días después, con la subida de los estrógenos, volverá a ser una chica amable y dicharachera y una encantadora hija y amiga.

TERCERA CLAVE: Déjele que hable, hable y hable

Hace ya algún tiempo estaba sentado tomándome un café y asistí a una conversación entre dos mujeres de unos 40 años. Una de ellas tenía una chica adolescente y la otra un chico de la misma edad. La charla se centraba en cuán distintos eran los dos, pero sobre todo una se quejaba de que su hija no paraba de hablar a todas horas y la otra de todo lo contrario, de que su hijo era el rey de los monosílabos.

La invasión de estrógenos trae consigo la activación de una neurohormona, la oxitocina. Esta hormona es la causante de que las adolescentes sientan la **necesidad de hablar, flirtear y establecer continuas relaciones sociales.** Cuando las chicas van al baño, lo hacen para poder tener la intimidad suficiente para intercambiarse información.

La evolución del lenguaje en las niñas es más rápida que en los niños, y esto se puede observar ya desde los primeros años en que aparece. En la adolescencia la diferencia es aún mayor: las chicas emplean tres veces más palabras que los chicos y hablan más deprisa. A los chicos les sorprende que puedan estar hablando en grupo todas a la vez y se entiendan entre sí, y además parezca que disfruten.

Charlar, cotillear y pasarse secretos se convierte en la actividad fundamental en estas edades para las chicas. La razón biológica es que se activan los centros del placer femenino experimentando un subidón de oxitocina y dopamina que inunda de felicidad el cuerpo y la mente.

Los niveles de oxitocina y dopamina adquieren sus máximos a mitad del ciclo hormonal, coincidiendo con la mayor presencia de estrógenos. La oxitocina les inclinará a **buscar situaciones de intimidad** para poder dar rienda suelta a sus secretos y dudas y la dopamina les invadirá de disfrute en sus contactos sociales.

No se sorprenda si después de haber pasado la tarde con sus amigas su hija tiene la imperiosa necesidad de hablar por teléfono o enviar un mensaje a las mismas amigas con las que ha estado unos minutos antes. Eso sí, asegúrese de haber contratado una buena tarifa plana.

CUARTA CLAVE: ¡CUANDO UNA AMIGA SE VA, ALGO SE MUERE EN EL ALMA...!

Una vez al mes, aproximadamente, mi hija llegaba a casa derrotada. Tenía en aquella época 15 años, y por la expresión de su cara podía imaginar que algo le había pasado. Su más mejor amiga, que diría Tom Hanks en la película Forrest Gump (1994), la había decepcionado. Se encerraba en la habitación un largo rato y cuando volvía al modo «tengo que arreglarlo» se levantaba e iniciaba una frenética actividad telefónica. A los pocos días, todo volvía a su sitio... había sido un malentendido.

Si algo causa pavor a las adolescentes, es perder una amiga. Sus circuitos cerebrales están diseñados para establecer relaciones sociales, pero no para acabarlas. Estas situaciones generan un enorme estrés cuya causante es otra hormona: el cortisol.

A diferencia de la oxitocina, el cortisol invade a la adolescente de sentimientos de angustia, ansiedad y pánico a quedarse sin amigas y sola. Inmediatamente buscará compensar el mal rollo buscando arreglar la situación gracias a la mediación de un tercero.

No eche más leña al fuego ni se le ocurra hablar mal de la chica que ha decepcionado a su hija. Probablemente en unos días volverán a ser «íntimas» y usted quedará en una posición muy incómoda. Ah, y ni se le pase por la imaginación decirle lo que tiene que hacer. Lo mejor en estos casos es estar cerca pero callados, asentir con la cabeza y pensar en otro tema.

Y una última recomendación: su hija buscará un tercero dentro de su grupo de amigas, no a usted, así que no se ofrezca como mediadora o saldrá trasquilada.

QUINTA CLAVE: USTED ES SU MADRE, NO SU COLEGA

Fue en un programa de televisión, de cuyo nombre no logro acordarme, cuando el presentador preguntó a una madre de una chica de 16 años: «¿Cómo definiría la relación actual con su hija?». La mujer le contestó: «¡Magnífica, somos grandes amigas!».

Según la entrevistada, su hija y ella iban de compras juntas, decidían todo entre las dos y se contaban sus secretos más íntimos. Esto parecía satisfacer a la madre en la creencia de que sabía todo de su hija y de esa manera la podía ayudar mejor ante un problema o una situación difícil.

La reacción del público que asistía al programa era de aprobación. Todos parecían estar de acuerdo en que la relación entre madre e hija no podía ser más idílica.

El caso es que la madre acudía al programa porque la chica quería ir a vivir con su novio, y no sabía muy bien cómo afrontar la novedad. Como madre, le parecía una barbaridad porque aún eran muy jóvenes, pero claro, como colega, ¿qué decirle?

¿Se imaginan el caso contrario? Que la chica tuviera una amiga que asumiera el rol de madre, difícil de entender. Mi abuelo solía decir que «no se puede estar en misa y repicando»

Las adolescentes necesitan a sus amigas y a sus padres, pero a cada uno en su sitio. Las amigas son necesarias para asegurarse aceptación y establecer relaciones sociales, y los padres, para educar y ejercer la autoridad cuando se precise, porque no todo es negociable.

Establecer una buena relación con su hija no es ponerse los mismos vaqueros sino sobre todo acompañar en el complejo tránsito de la adolescencia.

5. EL TSUNAMI HORMONAL EN LOS ADOLESCENTES

En el apartado anterior describíamos las razones biológicas de algunos comportamientos típicos de las adolescentes. Y los chicos, ¿se comportan de la misma manera?, ¿son tan diferentes a las chicas?, ¿les preocupan las mismas cosas?, ¿se relacionan de distinta manera? Intentaremos arrojar algo de luz sobre estos y otros temas a lo largo de las siguientes líneas.

Cuando los padres de Nacho entraron en mi despacho, les noté hundidos y cansados. No les veía desde hacía dos años, y por aquel entonces parecían llenos de fuerza y preparados para afrontar cualquier contingencia. Me contaron que la vida familiar había cambiado mucho en ese tiempo, que ahora era una guerra continua con su hijo. Las discusiones en casa eran frecuentes y su hijo parecía estar retando continuamente tanto al padre como a la madre. Desesperados, acudían a mí «a ver qué podía hacer».

La fiesta comienza con dos años de retraso con respecto a las chicas. En torno a los 14 años, por término medio, se inicia un cambio físico de proporciones descomunales: aparición de vello por casi todo el cuerpo, piel más grasa y sudoración, la voz se hace más grave, el cuerpo se ensancha y gana peso, pene y testículos crecen y comienzan las erecciones, etc.

Pero, como ocurre con sus pares femeninos, no todo lo que pasa en el cuerpo del chico salta a la vista; el desembarco hormonal es algo interior, invisible, y para eso no estaban preparados los padres de Nacho.

De manera desproporcionada, el cuerpo de los adolescentes se verá inundado por un subidón de hormonas; se calcula que en estas edades pueden multiplicarse por 20 hormonas como la testosterona. Imagínese esta desproporción en cualquier área de su vida: que tuviera que pagar 20 veces más por la comida, que tuviera que llevar 20 veces más peso en su cartera o que tuviera que subir 20 veces al segundo piso de su casa… ¿Cómo cree que se encontraría?

PRIMERA CLAVE: «LOS HOMBRES SÓLO PIENSAN EN UNA COSA» (PROVERBIO POPULAR)

En una rueda de prensa previa a un partido de primera división, el periodista preguntó al entrenador: «¿Qué cree que tiene que hacer su equipo para ganar al Madrid?». La respuesta fue contundente: «¡Echarle testiculitis!».

La testosterona es la reina de las hormonas en el varón. Su principal efecto es masculinizar biológicamente todas las conductas y pensamientos del adolescente. Los dichos populares son muy sabios, y seguramente generación tras generación hemos visto como los chicos de estas edades se interesaban repentinamente por sus pares femeninos.

Los intereses cambian, porque hasta este momento las chicas apenas tenían hueco en la vida de los muchachos. De los 6 a los 12 años los niños se agrupan con los niños y las niñas con las niñas. A ellos sólo les interesan los juegos físicos, la acción, y a ellas los juegos de relación y la conversación. Pero con la irrupción de la testosterona la cosa gira 180°.

Este creciente interés en el otro género abruma a los adolescentes, que no pueden pensar en otra cosa. En muchas ocasiones se sentirán culpables de estar pensando continuamente en lo mismo. Cuando caen en la cuenta de que sus amigos están pasando por la misma situación, la culpabilidad va diluyéndose.

SEGUNDA CLAVE: ¡SI QUIERE QUE NO LE SUBA LA TENSIÓN, LLAME ANTES DE ENTRAR EN SU HABITACIÓN!

Hay excepciones, claro, pero lo común cuando se aventura a entrar en territorio comanche es encontrarse con grandes sorpresas. Las estancias donde pernoctan los adolescentes son lo más parecido a un almacén de detritus. Según llega a casa, el chico lanzará los deportivos por un lado, la camiseta por otro e intentará encestar sus calcetines en el lugar más alto de la estancia.

Para una madre o un padre organizado, esto puede ser insufrible. **Muchas de las peleas con los hijos están originadas por una lucha continua entre caos y orden.** Pero no se preocupe: hay solución incluso a los olores que desprende su ropa recién estrenada.

La causante de tanto desasosiego es otra hormona, hermana de la anterior, la vasopresina. La aparición de esta nueva hormona provocará estragos en el comportamiento del chico. Es llamada también la hormona de la territorialidad, pues, en efecto, el chico sentirá la necesidad de protección de aquello que considera suyo, por ejemplo su habitación. Cualquiera que intente invadir su territorio será repelido con contundencia.

Consideren por un momento el matiz diferencial entre la defensa del territorio y la búsqueda de intimidad. Si releen el capítulo anterior, comprenderán fácilmente por qué las chicas buscan espacios para el diálogo y los chicos espacios propios.

No pretenda que su hijo pase del caos al orden en pocos días, lo más recomendable es ir por partes. Tómese su tiempo, comience con cosas pequeñas como organizar su mesilla de noche y pase a elementos mayores paulatinamente. Si esto no le funciona o le parece tedioso, entonces retírele lo que más le gusta durante un tiempo, pero, eso sí, avise antes y ponga día y hora en que se va a producir. Lo que no le recomiendo es que vaya detrás del chico recordándole continuamente lo trasto que es porque con esto sólo conseguirá entrar en discusiones estériles.

TERCERA CLAVE: ¿TIENES DEBERES PARA HOY?

Seamos sensatos, después de seis horas de clase cuyo interés para el adolescente, en la mayoría de las ocasiones, es manifiestamente nulo, le pedimos que además vaya a la piscina los lunes y jueves, perfeccione su inglés los martes, los miércoles entrene defensa personal y los viernes aproveche para probarse unos zapatos. ¿Para cuándo los deberes?

No me entiendan mal, todo lo que hacen es positivo. Pero la pregunta es: ¿Son realistas estas exigencias?

Los cerebros de los chicos adolescentes, como ya comentamos, reciben una dosis enorme de testosterona, la hormona del sexo, y de vasopresina, la hormona de la territorialidad. En condiciones normales, sus mentes se disparan y cualquier actividad que implique concentración resulta una carga muy pesada. Ésta es la razón por la cual cuando están en clase se despistan con facilidad. ¡Parece que estuvieran en otro planeta! También es la razón que explica su actividad física desproporcionada cuando salen al patio.

Si usted pregunta a cualquier chico de entre 13 y 16 años qué materia le gusta más, obtendrá una respuesta positiva masiva a la clase de educación física y el recreo.

¿Qué hacer entonces? A los padres sólo les queda el chantaje. *Quid pro quo,* o, lo que es lo mismo, algo por algo. Los chicos tienen que saber que su comportamiento traerá consecuencias tanto positivas como negativas. La clave es emplear las positivas.

Los sermones no suelen hacer efecto en los muchachos. Cada vez que le recordemos que con su conducta no conseguirán hacer carrera, los chicos están pensando: «¡Ya está la pesada o el pesado este con el rollo!». Es más efectivo que visualice lo que va a conseguir si hace bien las cosas que tener que retirarle el móvil o el ordenador si no lo hace. Esto implica planificación y constancia.

CUARTA CLAVE: ¡TU MADRE NO LO DICE NO, PERO ME MIRA MAL...!

Así comenzaba una conocida canción de Loquillo y los Trogloditas de los años ochenta. Un buen ejemplo de las relaciones poco amistosas entre un chico y la madre de su chica. Lo cierto es que los adolescentes interpretan la forma en que les miran de una manera muy particular.

Con su recién estrenada virilidad, los adolescentes están muy pendientes de las miradas de los demás. En realidad todos sus sentidos se agudizan al acecho de olores, gestos o sonidos potencialmente amenazantes. **Es el resultado de la evolución de la especie durante millones de años.** Los antropólogos creen que atribuir propiedades agresivas a las caras, olores o sonidos obedece a un fin adaptativo para los varones con el fin de poder decidir en milésimas de segundo si combatir o huir.

Los mayores problemas de comportamiento durante el período de clase suelen darse en los recreos. Es frecuente que los chicos de los primeros cursos de la ESO tengan altercados, y en muchas ocasiones, cuando les preguntan: «¿qué ha pasado?», la respuesta suele ser: «me estaba mirando mal».

Algo parecido pasa cuando el chico está tranquilamente comiendo en casa. Haga la prueba: mírele con cara de enfado y se sorprenderá de ver cómo se le enrojece el rostro y cómo inmediatamente se pone rígido. Desde luego usted no es su enemigo, pero él interpretará su cara como una amenaza e inmediatamente se pondrá a la defensiva.

«Más se consigue con miel que con hiel»: si algo no le gusta de su hijo o si no ha hecho lo que usted le dijo, pruebe a decírselo de otro modo. Cualquier gesto o cara de disgusto por su parte va a encender su lado más primitivo. Se bloqueará, no le escuchará e intentará contraatacar hasta causarle daño, y, créame, le hará mucho daño.

QUINTA CLAVE: NUNCA SEAMOS COMO NUESTROS PADRES

«¡Estamos hasta el moño del niño!» Así comenzó el relato de los padres de Nacho, un adolescente de 17 años. «Sólo quiere hacer lo que le da la gana, entra y sale como periquito por su casa y cuando intentas reprenderlo se ríe el condenado. A veces se pone todo erguido con sus 1,85 cm y nos dice que salgamos de la caverna, que hay vida fuera…» ¿Te lo puedes creer?

Los adolescentes buscan el enfrentamiento con las figuras de autoridad. Se creen mejores, más listos, y no encajan demasiado bien las normas. Su idea de la vida aún es pura y por consiguiente no toleran las injusticias ni las imposiciones. ¿Recuerdan aquel anuncio de Mercedes en el que una pareja se iba con el coche a un descampado y allí la chica le decía al chico: «Nunca seamos como nuestros padres»?

En el fondo subyace la necesidad del adolescente de rechazar las ideas de los padres para imponer las propias. **Los chicos buscan diferenciarse lo máximo posible de sus progenitores,** pues sólo de esta manera afianzarán su personalidad, o al menos lo intentan.

La aceptación y pertenencia a un grupo les hace más fuertes. Establecen lazos de unión con los miembros de su grupo, aprenden a ser solidarios, comparten sus gustos y visten la misma ropa. El riesgo es que la base sobre la que se asienta su grupo sea el odio a aquellos que son distintos, pues en este caso ya no hablamos de grupos, hablamos de bandas.

Les comenté a los padres de Nacho que los adolescentes son por naturaleza bravucones pero en realidad van casi siempre de farol. El padre me decía que él también era así de joven, que lo entendía, pero que algo tenía que hacer. «Bien —le respondí—, entonces interésate por lo que a él le interesa. Si quieres ganarte a tu hijo, no lo critiques, escúchalo. ¿Cuándo ha sido la última vez que le has dicho lo mucho que le quieres o lo bien que ha hecho algo?» El padre bajó la cabeza, miró al suelo y dijo: «Es verdad, me paso el día peleando con él, la primera palabra que escucha cuando entra en casa es un reproche».

Nosotros queremos que nuestros hijos sean como nosotros, transmitirles nuestros valores, cuidar que no les falte nada, etc. Todo esto está muy bien, pero no olvidemos que son personas, no clones.

6. LO QUE NO, REPITO, NO SE DEBE HACER

Ya saben que los medios de comunicación tienen una máxima: «La noticia no es que el perro muerda al hombre, sino que el hombre muerda al perro». Por alguna extraña razón, que no acabo de comprender, el morbo vende mucho más que las buenas noticias.

Durante el 2013 tuvieron lugar algunas acciones, en el ámbito escolar, que por su «peculiaridad» llamaron la atención de los medios de comunicación. Un ejemplo poco edificante fue el protagonizado por una adolescente y una profesora: «Detenida una menor de 14 años por clavar un lápiz a una profesora»[6]. Tenemos que alegrarnos de que haya sido un humilde lápiz de grafito el arma empleada, pues al parecer que estaban en clase de tecnología y, pese a los recortes, digo yo que habría algún alicate o martillo cerca.

No menos estrambótico fue el caso del adolescente de 16 años de Cádiz[7] que decidió probar lo inflamable que puede llegar a ser el pelo de profesora. Cuentan que aquel día la susodicha docente no había empleado «laca», cosa que hubiera supuesto una propagación más rápida y llamativa.

Si estos actos se produjeran todos los días, dejarían de ser noticia. Afortunadamente, aunque parezca paradójico, el hecho de que sean algo esporádico y residual hace que los medios de comunicación de masas reparen en ellos.

Dichosamente la inmensa mayoría de los alumnos de este país tienen un buen o muy buen comportamiento y emplean los lápices para escribir y los mecheros para asuntos más prosaicos, y no se dedican a quemar pelo ajeno o insertar lápices en las epidermis de los demás.

---

[6] http://www.alertadigital.com/2013/05/11/detenida-en-malaga-una-menor-de-14-anos-por-clavar-un-lapiz-en-un-brazos-a-una-profesora/.

[7] http://www.antena3.com/videos-online/noticias/sociedad/adolescente-intenta-quemar-pelo-profesora-barbate_2013022100037.html.

De todos modos, si usted quiere que su hijo adquiera protagonismo mediático y por unos días ocupe la atención de sesudos tertulianos, ahí van unos consejos prácticos que espero le sirvan de ayuda.

DIEZ MANERAS DE MALEDUCAR

Cuídelo con mimo. Si observa el más mínimo malestar en el adolescente, tire de botiquín familiar, dele algo. Acto seguido, evite que se vista y asee, que no vaya a clase, quién sabe si lo que tiene puede ser contagioso.

Hágale siempre su comida favorita. No lo decepcione, si ese día le apetecen macarrones y está haciendo el puchero, qué diablos... tire el puchero, no sea que con el disgusto acabe estreñido.

Ordene con eficiencia prusiana su habitación. El chico no tiene tiempo, las clases son muy duras y los profesores ni le cuento. Es el momento de demostrar que usted lo quiere de verdad. Puede añadir un bombón en la almohada cuando el machote se vaya a acostar.

Contrate clases particulares. No importa si las aprovecha o no, mientras está en clases particulares, no está en otro lugar peor. Prémiele con algún objeto si tras meses en la academia consigue sacarse alguna materia de encima.

Celebre los cumpleaños a lo grande. Olvídese por un día de su situación económica, el muchacho lo merece todo. Invite a todos cuantos amigos tenga, que se vea hasta qué punto quiere a su hijo. No omita confeti y globos, dan mucho color.

Compre un teléfono de última generación. Sin redes sociales no somos nada, y algunos teléfonos se quedan obsoletos ante las novedades. No cometa el error de dejar a su hijo sin contacto con el exterior o, lo que es peor, desfasado tecnológicamente.

Comuníquese a gritos. Acostumbrado como está a las macrofiestas, si no le grita, no se enterará de nada. Además, es una manera de que vea que usted puede ser un buen colega.

Acompáñele a todos lados. No deje que vaya solo a la farmacia, al banco, al ayuntamiento, al súper, etc. Aparte de que lo pueden engañar, con la chusma que hay por ahí, a saber con quién se topará.

Fuera horarios. Si algo molesta al adolescente, es discutir por la hora de llegada. Aquí lo tiene muy fácil: pregúntele a qué hora llegan sus amigos a casa y actúe en consecuencia... «Tú más, media hora más, hijo», aprenda de los políticos.

Y mucha, mucha televisión. Fundamental que durante el desayuno, el almuerzo y la cena el televisor esté encendido. Si tiene problemas para seleccionar el programa, pues sobre gustos no hay nada escrito, negocie. Que se vea que usted es un buen demócrata.

Si aun con todo esto no consigue sus propósitos, no se haga mala sangre. Otros lo han intentado antes y tampoco lo han logrado. Suerte.

7. ¡VIVA EL VINO!

Se han llevado a cabo numerosas campañas, llamadas preventivas, durante los últimos años a fin de paliar el consumo de alcohol entre los adolescentes y jóvenes de nuestro país. La FAD (Fundación de Ayuda contra la Drogadicción) lanzó una, especialmente realista, alertando de los efectos del abuso de alcohol en nuestro país en el verano de 2013. Uno de los elementos de la campaña más polémicos fue la emisión en televisión de dos anuncios de una gran crudeza.

Hemos sido testigos televisivos de imágenes en las que se veía salir todo tipo de objetos y personas del vómito de unos adolescentes embriagados. Dura visión, pero los datos de consumo de alcohol en España son para hacérselo mirar.

La cifra es de escándalo: el 35,6% de los adolescentes de entre 14 y 18 años se han emborrachado el último mes.

¿Cómo es posible que hayamos llegado hasta aquí? Dos factores parecen explicar gran parte de este fenómeno: la permisividad social y la percepción de riesgo.

Permisividad social: si algún negocio prolifera en nuestro país, son los bares, cafeterías, pubs y restaurantes. A la vista de todos se exponen vinos, cervezas y todo tipo de bebidas espirituosas, y los adolescentes tienen entrada libre. Tampoco hay que olvidar los negocios abiertos las 24 horas, en los que los jóvenes no pueden adquirir alcohol, aunque se las arreglan para hacerse con él.

No es de extrañar que se produzca un efecto mimético: al ver a los adultos relacionarse de manera tan familiar con el alcohol, el adolescente quiere imitar ese comportamiento y lo hace, habitualmente donde puede, en la calle. Esto nos lleva al segundo factor.

Percepción de riesgo: los adolescentes creen que el riesgo por ingesta de alcohol es bajo, incluso entre quienes han padecido un como etílico. Sólo el 45% de la población entiende que el consumo de cinco o seis copas los fines de semana es perjudicial para la salud[8].

Lo más sorprendente es que los adolescentes apenas consideran las consecuencias físicas. Dos de cada tres creen que el consumo de alcohol no supone ningún riesgo para la salud[9].

Lo más acojonante (permitan la licencia) es el cine y las series de televisión americanas. En los años cincuenta y sesenta los actores no perdían escena sin echar un pitillo; eso sí, los malos bebían y se emborrachaban. Como podrán comprobar, todo esto ha cambiado: el humo ahora se asocia al malo de la película y el alcohol al bueno. ¿Qué hace, en las series y películas, el protagonista cuando llega a casa? Efectivamente, prepararse un copazo. A lo tonto a lo tonto, nos han pasado del cigarro al licor sin enterarnos. «*Business* son *business.*»

Así que no sea quisquilloso: si los demás lo hacen, por qué no lo va a hacer su hijo. Con estas sencillas normas podrá presumir ante sus amigos.

DIEZ NORMAS INFALIBLES PARA QUE SU HIJO SE LO BEBA TODO

Comience estimulando el consumo de bebidas azucaradas. El mercado es prolijo en este tipo de brebajes, puede empezar con bebidas de cola. Piense que en el futuro va a tener que rebajar los licores con mayor graduación y de esta manera ya estará acostumbrado a los sabores.

Beba delante de su hijo. No se corte, ya sabe que los chicos lo imitan todo. Si adopta su forma de andar, por qué no habría de adoptar sus costumbres con el alcohol. Eso sí, aproveche para enseñar buenos modales, como no poner el codo encima de la mesa cuando está comiendo.

---

[8] http://elpais.com/diario/2010/12/08/sociedad/1291762802_850215.html.
[9] http://tematico.asturias.es/salud/plan/noticias/imginc/Percepci%C3%B3n%20Riesgo%20.pdf.

Las bebidas al alcance de la mano. Una buena exposición ayudará mucho: coloque en un sitio visible las botellas. Procure que aquellas de mayor valor pecuniario se sitúen detrás de las demás; en cualquier momento puede llegar una visita inesperada y se vería obligado a ofrecerlas.

Celebre con una copa cualquier logro. Que poco a poco su hijo vaya asociando felicidad y alcohol. Si tiene dudas, écheles un vistazo a las campañas de marketing de una conocida bebida de cola; si ellos lo hacen, por qué usted no.

Con una copa en la mano se liga más. Este principio no admite sospecha, de todos es sabido que el postureo ha sido y será clave para conseguir al hombre o mujer de tu vida. ¿Cuántos matrimonios y parejas bien avenidas no se han conocido a las 4 de la madrugada?

A pesar de la mala prensa, viva el botellón. Que espectáculo más edificante y maduro ver a miles de jóvenes reunidos con el único propósito de intercambiar opiniones, reflexiones y puntos de vista en plazas y playas. Ante la proliferación de bebidas espirituosas en estos eventos, advierta a su hijo de que no mezcle.

Siga la corriente. No están los tiempos para ir de librepensador, no se convierta en un verso suelto. Si los demás lo hacen, ¿qué va a hacer usted... prohibírselo? Piense con qué cara le mirarán sus vecinos cuando salga a la calle y sobre todo qué dirán de usted.

Si bebes, no conduzcas. Además de las espeluznantes multas que usted pagará, el riego no es un chiste. Inculque a su hijo que el piloto debe ir sobrio, pero que los demás pasajeros... Si son cinco en el coche mejor que dos, les tocará menos veces ir abstemios.

Engáñese a sí mismo. Piense que su hijo no bebe, a lo sumo cuando va de botellón un chupito o dos. Como es bien sabido, los adolescentes siempre cuentan a sus padres lo que hacen, aunque sea verdad.

No le regañe. Puede que en algún momento su hijo llegue a casa tambaleándose; es normal, con la crisis no hay dinero para reparar las aceras. En el caso de que sea obvio que el motivo de su mareo no son los adoquines, castíguele un mes sin consola, se lo tiene bien merecido.

Si a pesar de poner en práctica estas normas su hijo se resiste, no se preocupe y cante conmigo: «Alcohol, alcohol, alcohol, hemos venido a emborracharnos, el resultado nos da igual».